D0415687

LE SOLEIL PARTAGÉ

DU MÊME AUTEUR

AUX ÉDITIONS PRÉSENCE AFRICAINE

La rue Cases-Nègres, roman.
Laghia de la mort, nouvelles.

CHEZ D'AUTRES ÉDITEURS

Diab'là, roman, Nouvelles Editions Latines, Paris.
La Fête à Paris, roman, Kraus Reprint, Liechtenstein.
Les Jours immobiles, roman, Kraus Reprint, Liechtenstein.
Les Mains pleines d'oiseaux, roman, Nouvelles Editions Latines.
Quand la neige aura fondu, roman, Editions Caribéennes.
Et si la mer n'était pas bleue..., nouvelles, Editions Caribéennes.

JOSEPH ZOBEL

LE SOLEIL PARTAGÉ

Nouvelles

PRÉSENCE AFRICAINE
25 bis, rue des Écoles, 75005 Paris
64, rue Carnot, Dakar

ISBN : 2-7087-0726-4

LE SOLEIL PARTAGÉ

LE SOLEIL PARTAGÉ

Dans les premiers temps, il avait été la risée des enfants. Tout au début. Il venait d'arriver et on ne savait pas d'où, ni qui il était. Comme il avait la peau noire, on pensait aisément qu'il était de ces pays où le soleil brûle férocement, et sa présence dans le village était chargée d'évocations hallucinatoires.

C'était au plus beau de l'été. Les rues du village grouillaient d'enfants en culottes sales, aux cheveux négligés, et il y en avait aussi qui s'amusaient dans les cours sombres et toujours humides.

Le premier qui l'apercevait avait vite fait d'alerter les autres et tous, étant accourus, s'esclaffaient, puis, simulant la panique, s'enfuyaient dans les maisons, riant et criant :

— Maman, maman ! Voilà le nègre !

Et lui, au fur et à mesure qu'il avançait, entendait ricaner derrière les rideaux des fenêtres.

Même les tout-petits, les sans-malice en brayettes bleues et en bonnets roses, le montraient du doigt lorsqu'il passait, s'écriant :

— ’garde, maman ! Il est tout noir, le monsieur !

Et quoique se tenant la tête bien droite pour ne pas sembler avoir entendu, il voyait la femme se pencher sur l’enfant et lui chuchoter un sermon ponctué avec un index véhément. Si bien que c’était à cause de cela que les grandes personnes, les parents surtout, par honte, hésitaient à lui adresser la parole, encore que l’envie ne leur en manquât pas ; et on n’aime guère retenir sa curiosité lorsque les occasions d’y céder sont plutôt rares. Et puis, fût-on réputé malcommode avec le monde au village, avec les têtes de tous les jours, on se plaît assez, de temps en temps, à faire preuve de civilité avec quelqu’un de passage ou un nouveau venu. Et lui-même aussi, évidemment, devait en souffrir ; cela se voyait qu’il n’était pas du tout à son aise.

Un jour, c’était à la boulangerie, un petit garçon le voyant entrer, se blottit vivement contre le pantalon de l’homme qui le tenait par la main, en s’exclamant, comme s’il eût vu accourir un taureau :

— Houla ! papa, le négro !

Toute le monde avait été gêné, simulant de n’y faire aucune attention ; mais voilà que le père, arrachant l’enfant de ses jambes, lui allonge une de ces gifles claquantes, et, dans le même geste, montrant celui qui venait d’entrer :

— Va dire bonjour au Monsieur !

L’homme s’était arrêté là, ayant à peine franchi le seuil, et regardait comme s’il cherchait à comprendre.

— Allons, dépêche-toi ! faisait le père.

Car l'enfant était cloué sur place, se frottant les yeux avec son poing et se tordant les lèvres.

— Donne la main au Monsieur ! le sommait son père.

Et, pour les dames, trois ou quatre, qui le regardaient, interdites :

— Ça ne lui fait que quatre ans, mais ce n'est pas trop tôt pour qu'il apprenne.

— Vous avez raison, répartit l'une d'elles.

Et toutes se mirent à hocher la tête, disant :

— Parfaitement raison... Car les enfants, vous savez, si on ne leur fait pas comprendre ce qui est...

— Tandis que pour les vilaines choses, les effronteries, ça va tout seul...

Tout le monde tournait le dos au comptoir, et la boulangère, Madame Michel, restait là, avec son tablier de grosse toile blanche qu'emplissaient bien sa poitrine et ses hanches, avec ses doigts qu'elle a rouges et poudreux, appuyés sur le bord du comptoir.

On attendait que l'enfant eût obéi. Et s'il n'obéissait pas ?

L'homme, le nègre, souriait, visiblement très gêné à son tour du rôle qui lui était ainsi dévolu tout à coup ; mais il n'en souriait pas moins avec aménité, et l'enfant continuant à se frotter la paupière, s'est avancé de deux petits pas ; puis il ôte la main de son visage et la tend en baissant la tête.

— Bonjour mon garçon ! Ça va ?

Alors tout le monde souriait comme de soulagement. La voix de l'homme était chaude et amicale.

— Comment t'appelles-tu ? demandait-il encore au petit garçon. Hein, quel est ton nom ? Dis !... Roger ? Oh, c'est un très beau nom : Roger !

Le père, lui aussi, avait offert la main au monsieur et toutes les femmes — trois ou quatre — qui étaient là, firent de petits signes de tête avec de beaux sourires.

— Alors, à qui le tour ? demanda brusquement Madame Michel, revenant à son travail.

Et les femmes :

— C'est à vous, je crois, Madame Bernard.

— Non, non ; je crois que c'est à Madame Raymond... ou à Madame Benoît, peut-être.

On ne savait plus.

— Eh ! servez donc le Monsieur, allez. Les hommes, c'est pas bien de les faire attendre.

— Oh ! je suis confus ! dit-il, s'approchant du comptoir.

La boulangère ne savait pas encore très bien ses goûts, quoique ce ne fût pas la première fois qu'elle lui vendait du pain. L'aimait-il bien cuit, ou ?...

— Ah ? pas trop cuit ! c'est cela, merci.

Puis il ajouta :

— Et un petit gâteau, là, s'il vous plaît.

Car il y a aussi à un bout du comptoir, faisant pendant au couperet, une espèce de corbeille plate, avec quelques pâtisseries étroitement rangées — sauf les emplacements vides de celles qui ont déjà été vendues.

— Desquels ? demande Madame Michel.

Elle a déjà empoigné une grande cuillère plate qui plane au-dessus de la corbeille, étant donné qu'il y a différentes formes de gâteaux qui sont sans doute de différentes qualités et qui ne sont certainement pas du même prix.

Aussi, pour plus simplement faire, il se tourne vers le petit :

— Eh bien ! viens choisir toi-même, Roger.

Mais Roger est tout intimidé ; et tellement suprises les femmes, qu'elles recommencent à hocher la tête, avec leurs sourcils relevés et leurs lèvres entrouvertes.

— Voyez-vous !

— Oh ! monsieur, fit le père.

Il avait esquissé un geste de refus, mais il dit :

— Vous êtes trop aimable !

Et on voit une vive rougeur envahir son visage pendant que ses yeux se rapetissent et qu'un sourire fait dilater son visage ; pendant que l'enfant va mettre son menton dans la corbeille et son doigt sur un gros chausson aux pommes, puis tel un chat qui guette un moineau, regarde la boulangère envelopper le chausson aux pommes dans du papier de soie.

— Alors, qu'est-ce qu'on dit ? reprit le père.

Le petit a dit merci à Madame Michel.

— Et au monsieur ? Va faire un gros mimi au monsieur.

Le petit garçon était devenu très beau parce qu'il ne pleurait plus et qu'il était content, et il va vers l'homme qui est penché, et il l'embrasse à la grande joie de ces dames qui s'écrient toutes ensemble :

— Ah ! que c'est gentil !

Puis, l'homme paye son pain d'une livre et le chausson aux pommes, ce qui faisait quarante francs tout juste, deux billets de ving francs, qu'il déposa sur le comptoir et que la boulangère glissa dans son tiroir en disant merci.

Et il dut sortir à reculons, comme on ne tarissait pas, le père de Roger, Madame Michel et ces dames surtout, de lui dire merci et au revoir, jusque sur le trottoir où le soleil éclatait sur toutes ses dents.

Enfin, il se retourna, allongea le pas, et il n'y eut plus son sourire. On eût dit que, d'un coup, il avait avalé le soleil.

Et lui, il s'en va, et chaque passant qu'il croise se retourne pour le regarder parce qu'il fredonne en marchant.

*
**

Ce fut aussitôt une histoire agréable à conter.

C'est Julien, le père du petit garçon, Julien Pierredon, le menuisier. Et de l'avis de tous, il a très bien agi.

— D'ailleurs, m'étonne pas : Julien est un homme qui a été dans des pays, et il connaît, voyez-vous.

— Et il a été vraiment mignon, le petit. Quant au monsieur !... Fallait voir ça.

— Voyez-vous ! Je m'étais toujours dit que ce devait être quelqu'un de bien.

Si bien que, la même semaine, il était celui qui, sans rien faire, attirait les gosses dans la rue. Un, puis un autre, puis une kyrielle, lui criant bonjour et lui offrant la main, tous à la fois. Il lui fallait s'arrêter pour serrer toutes ces petites mains ; et bien qu'elles ne fussent pas toujours propres, certains les vérifiaient, le monsieur noir les ayant touchées, pour voir s'il ne les avait pas salies avec la couleur de sa peau. Et le temps qu'il leur demande leurs noms et réponde à leur assaut de questions, le père ou la mère était apparu sur le pas de la porte, saluant gentiment, se délectant à voir le grouillant attroupement.

— Alors, vous vous plaisez bien à Uzande ?

Cela commençait toujours ainsi. Puis :

— Ça fait déjà quelques bons jours que vous êtes là. Deux mois ? Oh ! c'est très bien. C'est tout de même pas le mauvais coin, ici.

Il avait d'abord été seul et reconnaissable entre tous ; mais, à présent, il avait des connaissances et avait plaisir à rencontrer bien des gens ; ceux qui avaient accoutumé de lui dire bonjour, ceux qui, des fois, lui avaient donné un renseignement ; tel autre avec qui, un jour, chez le charcutier ou à l'« Epicerie Moderne », il avait commenté le temps qu'il faisait. Et ce qui lui faisait le plus plaisir, c'est que, avant, il y avait le bonjour qu'il adressait, puis celui qu'il recevait en réponse, tandis qu'à présent, on le devançait, on était prévenant.

De même, on savait déjà beaucoup de lui, par suite des deux ou trois fois qu'on avait discuté avec lui, sur la place, devant le temple — ici on est huguenots, presque tous — ou chez Paul aussi, des fois, le café en face du temple.

Mais comme il n'avait pas l'air d'affectionner la boisson (ce sont des choses qui se voient au premier coup, si on peut dire, rien qu'à la gaucherie de l'homme qui se tient devant le zinc) on l'avait rarement rencontré chez Paul, bien qu'on ne manquât pas de lui suggérer d'y venir le soir.

En revanche, il n'y avait presque pas de soirée où on ne parlât de lui. On aimait à parler de lui.

— Pas du tout ! Il n'est pas du Congo.

C'était Julien Pierredon, que tout le monde tenait pour en savoir le plus, à cause de ce qui s'était passé chez la boulangère, avec le petit garçon ; et du fait aussi que c'était par lui que la plupart des présentations avaient été faites.

— Rien qu'à son parler, expliquait-il, ça se voit, quand on connaît un peu. Ceux du Congo ont un timbre de voix plus sourd, comme un beau tam-tam ; et puis, ils roulent les r un peu comme les Berrichons. Il est de la Martinique, lui.

Mais on ne saisissait pas toutes ces subtilités. On n'en connaît pas tellement des gens de ces pays-là, à part les rares, comme Ernest Bernard, qui a fait la guerre à côté des tirailleurs, et Julien Pierredon, qui était dans les chasseurs d'Afrique.

Et puis, tout le monde n'a pas non plus dans la tête de ces grandes cartes où c'est dessiné comment la terre a été pour ainsi dire brisée tout en restant ronde comme une boule, avec la mer qui, telle une belle gelée bleue, en retient les morceaux et les éclats.

Alors on demande :

— C'est pas du même côté, tout ça ?... Ah ! c'est plus loin ?

Il faut dire aussi que ce n'est pas très commode à repérer, toutes ces petites cassures de terre qui sont les îles, et que, dans l'esprit, ça se mélange, se mettant tout du même côté —

comme il eût été plus simple que ce fût. Seulement voilà, il y en aurait trop à la fois !...

L'étonnant était qu'il parlait si bien français. Et Mademoiselle Lucie, derrière le comptoir :

— Oui, mais le drame, c'est que lorsqu'il va rentrer dans son pays, personne ne pourra comprendre ce qu'il dit...

Et, se reprenant brusquement :

— Ah ! que je suis sotte ! Il n'a quand même pas oublié sa langue.

— Mais, je vous dis, repartit Julien Pierredon, que la Martinique, la Guadeloupe, tout ça, c'est des pays qui sont français, français.

— Bon, bon. Mais ils pouvaient bien avoir leurs langues à eux, des fois.

Ce qui serait tout naturel.

Et alors, Auguste Laurent :

— Eh bien ! tel qu'il le parle, notre français, ça me fait plaisir, à moi ; et je dis que c'est tant mieux pour la France.

C'est tout juste si on n'applaudissait pas, et Mademoiselle Lucie, debout derrière le comptoir, déposait le tricot où pignochaient ses longues aiguilles bleues, remontait ses cheveux qui avaient glissé de son front, et empoignait déjà la bouteille de pastis, sachant qu'après de telles paroles une voix allait dominer toutes les autres pour crier :

— Mademoiselle Lucie ! Remettez-ça, s'il vous plaît.

On savait aussi qu'il avait été militaire de carrière : Sergent-chef, artillerie coloniale, en Indochine, en Afrique du Nord. Et en Aoef, comme il disait.

Tout cela, on en discutait à grand renfort de pastis, chez Paul.

Et les femmes qui lavaient leur linge dans le Gardon :

— Oh ! il connaît la France mieux que nous autres qui ne sommes pas sorties quatre fois d'Uzande. Il a été à Marseille, à Toulon, à Fréjus, à Périgueux, à Paris. Vous vous rendez compte !

— Quelqu'un qui a déjà roulé sa bosse, comme on dit.

— C'est cela.

Et Julien Pierredon, un autre soir, chez Paul :

— Non, il n'a jamais été marié, mais il a une fille qui doit aller sur ses quatorze ans, au Tonkin, je crois ; et il envoie de l'argent pour elle tous les mois. Il m'a fait voir sa photo... Oui, avec une femme de là-bas.

Et maintenant, c'était dans les vignes, pendant ces vendanges qui furent si belles dans tout le pays.

— Il a dit que sa mère vit encore. Dans les soixante-huit, soixante-neuf ans. Pas de frère et sœur.

— Mais il n'a pas beaucoup été dans son pays. Une fois après vingt-deux ans, et il y a dix ans.

— Enfin, il va pouvoir y retourner, maintenant qu'il est à la retraite.

— Pas du tout ! Il est venu à Uzande pour y rester.

— Pas possible !

— Comme je vous le dis.

Ça, très peu l'avaient entendu dire, et tous ceux qui étaient penchés sur les ceps avec leur sécateur se sont redressés, la bouche noire de jus de raisin, pour écouter.

— C'est qu'il a un métier. Il était maître-bottier dans l'armée.

— Maître-bottier, voyez-vous !

— Dans ce cas, j'en connais un qui ne doit pas lui faire des mamours, s'il sait ça.

— Qui ? Adrien !

— Pardi !

Le clappement des sécateurs avait recommencé, et on était tous pliés, le dos émergeant à peine des vignes qui par ici ne sont pas trop hautes, sauf Auguste, qui poursuivait — lui aussi avec les lèvres comme s'il avait bu de l'encre d'écolier — et son bras qui faisait des tracés dans l'air avec son sécateur.

— Hé ! Adrien ?... Bien sûr que ça doit le faire souffler dans ses braies, mais il n'a jamais été maître-bottier, Adrien. Il fera toujours ce qu'il a coutume de faire : mettre deux petits clous ici, redresser un talon qui tourne, recoudre une bride par là. Et, au lieu d'aller à Cayenne pour les choses plus sérieuses, on ira voir l'autre. Adrien ne sera pas plus malheureux, allez !

A bien réfléchir, c'est vrai. Adrien en a toujours de trop et vous fait attendre des semaines pour la moindre bricole. D'ailleurs, c'est toujours comme ça : on craint qu'il n'y ait pas place pour un de plus, et, quand on a été obligé de se pousser un peu, un tout petit peu, pour qu'il se mette, on s'aperçoit qu'il y a encore place pour dix. Si bien qu'on en a honte à la fin.

Maintenant, on entrait dans l'hiver et, à la rue Bouquerie, il y avait, comme on le disait depuis quelques jours, une nouvelle enseigne où était écrit :

Gustave Audin
Bottier

Sur l'une et l'autre face, car cela pendait à une équerre en fer et se balançait lorsque dans cette rue étroite la bise rasait la façade des maisons.

Une pancarte rouge, où les lettres étaient en jaune avec des filets noirs, à quoi l'on reconnaissait que c'était Gascuel qui l'avait faite, étant donné qu'il est le seul à faire toutes les peintures à Uzande.

Et au-dessous des lettres, une main est silhouettée en jaune, indiquant d'un index bien rigide qu'il faut entrer sous le porche qui est sombre et bas, autant que cette rue Bouquerie qui est une des plus étroites et sombres, et sans trottoirs, avec un affaissement au milieu, sur toute sa longueur, espèce de ruisseau que viennent alimenter les eaux usées suintant des maisons. Mais au bout, les murs s'écartent de chaque côté pour faire une boucle comme lorsqu'on arrondit ses deux bras, et on est alors au fond d'un grand puits de clarté où une porte, à gauche, montre sur une autre pancarte pas plus grande qu'une enveloppe ordinaire : Cordonnerie.

A peine a-t-on poussé la porte qu'on est arrêté car c'est plus petit, pas très clair, plein à craquer pour peu qu'il y ait déjà une autre personne. Donc, un réduit d'environ huit pieds sur dix, dont les murs ont été passés à la chaux et garnis d'étagères de bois blanc, où il a posé des objets : des boîtes en fer et en carton, des rouleaux de basane, des pieds en bois poli où les orteils ne sont pas indiqués, comme s'ils eussent été gainés de bas de soie ; et son veilloir est à droite, derrière lequel il est assis, face à l'entrée, tout ramassé sur soi-même — comme ils se tiennent tous dans ce métier, car leur véritable établi est leurs genoux. Et derrière lui, il y a une porte qui est sans doute celle de son logement. Sombre et petit, n'est-ce pas, l'atelier est déjà encombré de vieux souliers pêle-mêle et de pans de cuirs durs et lisses comme des feuilles de tôle, entamés par des lignes incurvées là où des talons et des semelles ont été prélevés au tranchet. Et lui, tout noir derrière son veilloir, pas faute de lumière, ni à cause du métier, mais de sa belle couleur noire qui est propreté et qu'on aime voir, parce qu'elle est aussi lumière et chaleur.

— Gentil comme tout, cet homme !

Tandis que lui trouvait que c'était des autres que venait la gentillesse.

— Gentil comme tout.

De sorte que ceux qui ne pensaient pas ainsi s'abstenaient de dire autrement. Vraiment, on l'avait à la bonne, Gustave. Car presque tous les hommes disaient très amicalement : Gustave. Au reste, de son propre aveu, il en avait toujours été ainsi partout où il avait vécu.

— C'est bien simple, disait-il, si seulement j'étais resté en correspondance avec les meilleurs amis que j'ai eus dans les pays que j'ai connus, eh bien, je crois que les clients auraient disputé Gustave à longueur de journée, car il aurait passé le plus clair de son temps à son courrier... Heureusement aussi que je n'aime pas écrire.

*
**

De fait, il ne recevait guère de lettres. N'est-ce pas, Monsieur le Facteur ?

— Oh ! un journal tous les mois, aurait dit Marcel ; et deux ou trois cartes à la période du Jour de l'An. Les feuilles d'impôt, comme tout le monde. Et, naturellement, les enveloppes du Centre des Pensions, chaque trois mois.

C'est peut-être parce qu'ils ne se voyaient pas souvent, Marcel Bourguey et lui, qu'ils se disaient, l'un Monsieur Audin, l'autre Monsieur le Facteur.

— Et puis, aurait ajouté Marcel, cette fois-ci, un télégramme.

La première fois qu'il lui portait un télégramme.

C'était au début de l'après-midi, et il avait pensé :

— Peut-être qu'il fait la sieste ; je ne sais pas ; je n'ai jamais été chez lui l'après-midi. S'il dort, je lui glisserai un avis sous sa porte, et il ira plus tard prendre son télégramme au bureau. Et j'aimerais mieux ça, parce que...

Parce qu'il avait le pressentiment que c'était, disons un mauvais télégramme. Cela se voit toujours à la tête de la receveuse quand elle dit :

— Un télégramme à porter.

Or Marcel abhorrait de jouer les messagers du malheur. En l'occurrence, il eût même demandé pardon.

Mais il le trouva à son veilloir ; depuis le porche, il l'avait entendu qui sifflait. Car autant il faisait chaud sur la place, devant le temple, autant l'air était frais dans la rue Bouquerie, qui est de celles qui manquent plutôt de soleil — et plus frais encore dans cette cour sur laquelle le cordonnier avait laissé sa porte ouverte.

Il est assis derrière son veilloir ; il est penché sur ses genoux, il tire son fil de part et d'autre de ses genoux ; ça crisse avec rudesse, comme si on frottait ses doigts sur les cordes d'une contrebasse ; il est gai. On dirait qu'il va s'envoler chaque fois qu'il tire et que ses bras, qui sont forts, ont l'air d'élargir l'espace étroit qui le confine. Il est gai, comme à son ordinaire ; il siffle, et, levant la tête, peut-être parce qu'il a entendu venir quelqu'un, il voit le facteur. Et lui, le premier :

— Bonjour, Monsieur le Facteur !

Il a dit cela comme il eût crié : Bravo !

Puis, se levant, et les yeux sur le papier qu'on lui présente et qui est bleu :

— Ah, un télégramme ! Merci, Monsieur le Facteur... Au revoir, Monsieur le Facteur.

Le facteur n'a rien dit. Il a porté la main à la visière de son képi, il a remis le télégramme, il a refait son salut, automatiquement, il s'est retourné. Le facteur est parti.

Et, le facteur parti, l'autre remarque qu'il s'était levé pour recevoir le télégramme, alors que, d'habitude, il ne se dérange pas. D'une main, il tient le soulier noir qui pèse lourd à cause de la forme en bois qui l'emplit ; et dans l'autre main il a le télégramme qu'il regarde comme si c'était une lettre dont on cherche la provenance d'après le timbre, ou dont on essaie de deviner l'auteur d'après l'écriture qui couvre l'enveloppe.

Alors, il a déposé le soulier sur le veilloir, et son pouce tâte le papier plié en forme de petite enveloppe bleue à l'endroit où ce n'est pas collé, pour s'y introduire. Et sans doute lorsqu'il aura ouvert le télégramme, le nom de l'expéditeur lui sautera d'abord aux yeux, et il s'écrira : « Un tel ? Oh ! ce n'est rien de grave », et il va sourire d'avoir eu tant d'appréhension.

Mais par la maladresse de ses doigts impatients, tout a craqué brusquement. Cela s'est ouvert, et c'est une seule ligne tracée en gros caractères qui s'impose à son regard :

Madame Georges AUDIN décédée.
Hubert Audin.

Il tient le télégramme déplié d'une main qui est restée devant sa poitrine. Il ne le regarde pas, mais on eût dit qu'il n'a pas terminé de le lire, ou qu'il va le relire, et, en même temps, il regarde devant lui, comme s'il n'y pensait déjà plus.

Madame Georges Audin, sa mère. Là-bas, à la Martinique. Décédée. Un mot qu'on fait imprimer aussi sur des billets encadrés de noir. Hubert Audin, c'est son oncle, le frère de feu son père. Sa mère morte. Le cercueil, des cloches qui sonnent. Des gens (quelques-uns tout de même :

elle faisait partie d'un Secours Mutuel) habillés de noir. Il y a aussi des hommes en complet de toile blanche. Ils marchent lentement, en mesure avec les cloches, derrière la croix, derrière le prêtre flanqué de deux enfants de chœur en surplis blanc sur robe noire, derrière le cercueil noir fleuri de bougainvillées mauves. Et, au cimetière, il y a un trou qui attendait le cercueil. Un éboulement de terre sur le cercueil, sorte de tambourinement lugubre, et l'on se disperse docilement, heureux d'avoir accompli un devoir, laissant la terre faire le sien, digérer sa proie.

Tout est déjà fini ; ce n'est même pas la peine qu'il envoie de l'argent ou un télégramme. Certainement une lettre, dans quelques jours, apportera des détails.

Il ne peut pas tout de même rester là, debout, avec ce télégramme qui, progressivement, est devenu dans sa main quelque chose de terrible et de presque sacré à la fois. Alors, qu'il le dépose quelque part ! Cependant c'est, pour ainsi dire, la photographie de l'enterrement de sa mère ; et il n'ose le mettre ni sur le veilloir, ni comme un chiffon dans la poche de son tablier de cuir.

Il a ouvert la porte qui est à sa droite, derrière son veilloir, et il passe dans la pièce à côté. Là, c'est plus clair et c'est la chambre. Il reste debout avec le télégramme qu'il tient d'une main qui ne bouge pas et, tout à coup, sa gorge est sèche et il aurait bu un grand verre de quelque chose de très fort. Cependant, il ne se sent pas capable de prendre une bouteille et de se verser à boire. Il aurait fallu que ce soit quelqu'un qui, tout de suite, là, lui tende le verre et le lui remplisse encore. Or, il est seul. Et il n'y a personne qu'il puisse aller trouver pour lui dire : « Voyez ce que je viens de recevoir : ma mère est morte. »

Si, pourtant ! Il y en a plus d'un. Mais il aurait fallu quelqu'un pour aller les chercher. Or, il est seul et déjà une pesante lassitude s'insinue en lui, qui le gagne si violemment qu'il se jetterait dans un coin, recroquevillé, comprimant très fort sa poitrine.

Quelqu'un a appelé :

— Ho Gustave !

Il n'avait pas pensé à fermer la porte donnant sur la cour, et c'est dans l'atelier qu'on a appelé. Une voix qu'il a reconnue aussitôt ; et, en effet, il ne s'est pas trompé : c'est Julien Pierredon qui entre et lui demande à brûle-pourpoint, en désignant du doigt le télégramme :

— Alors, c'est grave ?

Gustave lui tend le télégramme.

Alors Julien a pris chaque épaule de Gustave dans sa main.

— Mon pauvre vieux !

Gustave a baissé la tête et Julien Pierredon s'est tu, face à lui, lui serrant les épaules de plus en plus fort. Puis, toujours le tenant aux épaules, il le pousse doucement vers un fauteuil de rotin près de la table et lui dit :

— Assieds-toi un peu, mon vieux Gustave.

Gustave s'est laissé tomber dans le vieux fauteuil qui geint, et sa mâchoire se crispe tandis que les muscles se gonflent sous ses oreilles, et, la tête pendant sur sa poitrine, il a l'air de regarder ses mains qui sont retombées sur son tablier de cuir.

Julien a replié respectueusement le télégramme qu'il dépose sur la table où il y a des verres, quelques livres, un paquet de cigarettes et beaucoup d'autres objets ; puis, se ressaisissant lui-même :

— Alors, que faut-il que je fasse pour toi ?

Mais Gustave a simplement haussé ses épaules qu'il laisse retomber, et comme Julien Pierredon semble attendre encore une réponse, là, debout auprès de lui, il lui dit :

— Tu es bien gentil, mon vieux, mais qu'est-ce qu'on pourrait faire à présent ?

— En effet, dit Julien, tout désappointé.

Puis, se ravisant :

— Eh bien, excuse-moi un petit instant, et je reviens tout de suite.

Il se dirige déjà vers la porte, et Gustave qui essaie de l'arrêter :

— Ecoute, Julien, c'est déjà assez gentil que tu sois là avec moi. Ne dérange plus personne ; ce n'est pas la peine.

Mais Julien le laisse dans le fauteuil et il est déjà dehors.

Ce n'est pas encore tout à fait le soir, mais il fait sombre assez tôt dans la rue Bouquerie, et l'on n'y rencontre pas souvent un chat.

Devant chez Paul, il y avait une voiture arrêtée et trois personnes autour d'une table en fer à la terrasse. Un homme en culotte courte avec une casquette en toile blanche à longue visière, et deux femmes en robe claire, et la plus jeune avait tout le dos et le haut de sa poitrine nus.

Des Parisiens. A l'intérieur, il n'y avait personne, et Julien dut appeler pour que Mademoiselle Lucie vienne.

— Pas possible ! fit-elle d'une voix sourde, lorsqu'il lui dit la nouvelle.

— Et puis, dit-elle, après avoir réfléchi un peu, ce qu'il y a d'embêtant surtout, c'est que c'est loin ! Jusque là-bas ! Vous vous rendez compte ?

Et lorsque Julien Pierredon eut fini de lui parler :

— Bien, c'est cela ! Je le leur dirai. D'ailleurs, ils ne vont pas tarder à être là.

Elle avait alors tourné la tête pour jeter un coup d'œil à la pendule ronde au-dessus de ses cheveux noirs dont les courtes mèches frisées bougent sans cesse devant l'échafaudage de bouteilles multicolores qui fait une espèce d'autel derrière le comptoir.

Puis, tout à coup, elle n'y est plus, car à la table où se tiennent les trois Parisiens, le monsieur en culotte courte fait tinter ostensiblement son verre avec la petite cuillère du seau à glace, et Mademoiselle Lucie s'est précipitée à la terrasse.

Julien s'en va rapidement.

Il pense à retourner aussitôt à la rue Bouquerie, mais il se dit :

— Eh bien, allons seulement le dire à ma femme. Comme ça, elle saura.

Ce qu'il se dépêche de faire.

Auguste Laurent et sa femme étaient arrivés les premiers chez Gustave ; même avant Julien. Auguste avait endossé sa veste grise du dimanche sur sa salopette bleue.

Madame Auguste occupait le fauteuil en rotin qui avait été écarté de la table ; sans doute Gustave le lui avait cédé, à cause qu'elle est forte et souffre des jambes. Et Gustave avait été prendre sa chaise de travail dans l'atelier pour se mettre à sa même place, près de la table, où était toujours le télégramme.

— C'est une bien mauvaise nouvelle que nous apprenons là ! dit Madame Auguste en se tournant vers Julien.

— Hélas !

Julien alla dans l'atelier prendre l'autre chaise, celle qui était destinée aux clients. Auguste recula un peu la sienne pour lui faire place.

— Sûrement, reprit Madame Auguste, vous ne vous y attendiez pas, Monsieur Gustave ?

— Pas le moins du monde, répondit Gustave.

— C'est-à-dire, ajouta Julien, lorsqu'ils sont vieux comme ça, les parents, on voit bien que, de toutes façons, ça va arriver un jour ou l'autre, mais, en même temps, nous avons été trop habitués à les avoir pour trouver naturel qu'ils ne soient plus.

— Oui, dit-elle, c'était bien ainsi pour moi lorsque mon pauvre père est mort. Il avait bien quatre-vingt-six ans, mais il était tellement gaillard que je n'aurais pas cru qu'il serait parti aussi vite. Figurez-vous qu'il n'avait jamais été malade, jamais. Pas un mal de tête, pas une rage de dents. Il ne connaissait pas ce que c'est que d'avoir pris un cachet ou un comprimé. Et, à l'âge qu'il avait, il était leste comme un écureuil pour grimper aux échelles et tailler ses pommiers.

Auguste ne disait rien, lui si causant d'habitude. Alors Madame Auguste poursuivait :

— Et son jardin ! C'était pas croyable ! C'est pourtant bien simple : l'année même où il est mort de cette congestion, sans compter ce qu'il avait donné et tout ce qu'on avait mangé, rien qu'en tomates, il en avait vendu pour pas moins de quatre mille francs. C'est vous dire !

Mais Auguste l'interrompit d'un signe et d'un regard indiquant qu'on frappait à la porte.

C'était Marcel, le facteur, et derrière lui, Ernest Bernard, puis Jean Bordarier qui, un bras en moins, avait toujours une manche de sa veste rabattue et retenue vers l'épaule par une grosse épingle. Il était tout penaud, Marcel. Il serrait la main à chacun en balbutiant avec un petit hochement de la tête :

— Madame Auguste, Monsieur Julien...

Et puis.

— Alors, c'est ce qui vous arrive, Monsieur Audin ? Quel malheur !... Je vous présente mes condoléances.

Et, s'adressant aux autres :

— Vous savez, je me trompe rarement là-dessus : un télégramme ! Je ne sais pas comment, mais c'est comme qui dirait un connaisseur qui soupèse un melon et qui voit s'il est doux ou bien s'il est quelconque. Preuve, lorsque j'ai eu remis le télégramme à Monsieur Audin, je voulais revenir sur mes pas pour lui demander, sans indiscrétion, si c'était quelque chose de fâcheux ; mais, vous comprenez, c'était tout de même délicat.

— Alors, demanda Madame Auguste, c'est par hasard, comme ça, que vous êtes venu, M. Pierredon ?

— Mais non, Madame Auguste !

Et voici comment :

— J'étais dans mon atelier. Ces jours-ci, on m'a envoyé une dizaine de vieilles chaises cévenoles à retaper. Des chaises dont nous aurions fait du feu pour ne pas les perdre ; mais celui qui y tient est un artiste qui vient de s'installer là-haut, du côté de la Jolienne. Eh bien, qu'est-ce que je vois qui entre dans mon atelier ? Mon Marcel, avec une tête comme ça !

— Ah ! je comprends, fit Gustave.

— Mais, dit Marcel, ce n'était pas du tout ce que je pensais. Je ne savais pas quoi penser. Et puis, comme on n'a pas l'habitude de recevoir à Uzande des choses de la Martinique je ne pouvais pas deviner. La receveuse, des fois elle me dit, des fois elle ne dit rien. Et comme elle ne m'avait rien dit, peut-être parce qu'on s'était disputé pour affaire de courrier à faire suivre, je n'ai pas demandé.

Faute de sièges, il était resté debout ainsi que les deux autres, lorsque Gustave, montrant le fond de la pièce, leur dit :

— Mettez-vous, mes amis.

En même temps, il se leva pour aller toucher le bouton électrique et faire la lumière.

— Oh ! faudrait pas qu'on vous dérange, dit Marcel.

La lumière s'était jetée brutalement dans la chambre, éveillant en sursaut la présence des choses. Une lumière éclatée au bout d'un maigre fil qui descend du plafond, et c'est sur un divan recouvert d'une laine bariolée qu'ils sont allés s'asseoir, pendant que Gustave fait pivoter légèrement sa chaise pour ne pas leur tourner le dos. Il y a encore une vieille commode en châtaignier, un paravent en étoffe aux fleurs fanées, qui cache, on le devine, ce qu'il faut pour la toilette, une armoire étroite dont le bois verni fait un grand reflet par-devant ; et les murs ne portent sur leur vêture ancienne de peinture verte qu'une grande glace au cadre dédoré, et à côté de la glace, il y a des cravates accrochées à un clou. Il y a aussi une espèce de vide-poche en bois découpé, tout irisé d'incrustations de nacre.

Julien excepté, c'est la première fois qu'ils sont entrés dans cette chambre, et Madame Auguste faillit rougir de se rappeler que Gustave, à ce qu'on disait, recevait souvent des jeunes femmes dans son arrière-boutique.

Alors, elle lui demanda, fut-ce pour chasser cette idée :

— C'est le télégramme ?

Le télégramme est sur la table.

— Oui, dit Gustave.

Et il lui passe le télégramme.

Elle le déplie, le lit, le regarde encore quelques instants, comme on se recueille devant un mort, et le passe à Auguste.

— Et puis, voyez-vous, reprend-elle, le plus dur dans un cas pareil, c'est qu'on est si loin ; en sorte que ça fait double chagrin.

C'était Jean Bordarier qui avait le télégramme à présent, et Ernest qui venait de le lire, avait sorti de sa poche un paquet de cigarettes qu'il rentra aussitôt sur un coup d'œil réprobateur de Madame Auguste, pendant que Jean Bordarier disait :

— Moi, je ne sais pas ; mais il me semble que le plus dur, ce doit être d'avaler la nouvelle toute crue, comme ça.

— Bien sûr ! dit Marcel, on serait dans le même pays, le télégramme porterait, par exemple : « Père très malade. Présence indispensable », ou bien « Arrivez d'urgence ». Comme ça on imagine bien de quoi il retourne, mais grâce au bénéfice du doute, on a le temps d'aller voir et de comprendre par soi-même.

Gustave ne disait toujours pas grand-chose et gardait la tête baissée. On eût dit que depuis qu'il avait reçu la nouvelle, quelque chose s'était mis à lui peser sur la nuque. De temps en temps, ses yeux pivotent dans leurs orbites pour approuver ce qu'on vient de dire, ou bien pour remercier ; puis, bien que restant ouverts, ils se dérobent — ce qui amène un silence dur et glacial.

Et puis, comme Auguste qui savait le mieux parler se taisait, on n'osait pas beaucoup se lancer.

Mais lorsque la femme de Julien Pierredon arriva, puis Maurice Manoël, la conversation recommença aussitôt à prendre, si bien que, maintenant, c'était devenu pour ainsi dire compact, Gustave répondant à toutes les questions qu'on lui posait sur ses parents, son enfance, la Martinique, et chacun racontant à son tour :

— Dans mon pays, l'Ariège, c'est pareil.

— C'est comme lorsque j'étais petit, dans la Lozère, avec ma sœur et mon frère Numa...

— Ma mère aussi faisait comme ça...

En plus de la conversation entre Gustave, Madame Julien et Monsieur Auguste qui faisaient une espèce de noyau, il y avait celle des gars qui étaient sur le divan.

Seul, Auguste Laurent ne s'était pas départi de son mutisme. Mais ses yeux brillaient tellement qu'il semblait brûler d'envie de parler, sans y parvenir, étant resté trop longtemps sans desserrer les lèvres, contrairement à son habitude. Alors, Maurice Manoël lui racontait :

— Elle est morte à quatre-vingt-cinq ans, ma mère. Et jusqu'à l'âge de soixante et dix-huit ans, elle chantait...

Il écarte un bras, et l'envol de sa main achève son geste lorsqu'il poursuit :

— On aurait cru une jeune fille... A soixante et dix-huit ans !

Auguste hochait la tête, et ses petits yeux souriaient car lui aussi aimait à chanter, et on se plaisait beaucoup de l'entendre, bien qu'il eût déjà passé soixante ans.

Et voilà que ceux du divan parlaient de la vie militaire, sans doute du fait de l'ancienne profession de Gustave, et Jean Bordarier dont le moignon s'énervait dans sa manche flasque :

— Un petit pays appelé Mamès. Pas bien loin du front, vous dis-je, puisqu'on voyait la lueur des fusées. Mais c'était long à venir, et on s'ennuyait tellement que, le dimanche, nous jouions à la chasse aux rats. Alors, on cherchait des trous, qui avec un pot d'eau, qui avec un bâton, ainsi de suite. Celui qui avait le pot versait de l'eau dans un trou, et l'autre, avec un bâton, se postait au trou de sortie ; et lorsque le mulot essayait de se sauver, pan!... Voilà ce qu'on avait inventé pour se poiler. Pas même à cinq kilomètres du front!... Et à l'arrière, nos femmes, nos enfants, nos mères (moi je n'étais pas encore marié) et notre boulot, nos vrais métiers...

Au même moment, Madame Auguste se penchait vers Gustave pour lui demander doucement :

— Et vous n'avez pas sa photographie?

— Non, dit Gustave. J'en avais une de quand elle était jeune, mais c'était dans mon portefeuille qu'on m'a volé à Djibouti.

— Ah! c'est dommage.!

De temps en temps, on se taisait, surtout lorsque c'était Gustave qui parlait. Ou bien, c'était Madame Pierredon qui nouait ses bras sur sa poitrine et soupirait :

— Ah! oui, c'est dur!

Tous hochaient la tête, et la nuque de Gustave s'était rejetée en avant comme au commencement, et sur la table était le télégramme que chacun avait lu.

— Et, je crois, poursuivait Madame Pierredon, que ce qu'il y a de plus dur dans une famille, c'est de perdre une mère, ou de perdre son enfant. Le père, c'est pas la même chose.

— Hé! protesta Madame Auguste, c'est pas la même chose? Eh bien, quand j'ai perdu mon pauvre père, pardon...

— Je ne dis pas que ça ne fait pas mal quand c'est le père, je dis que c'est différent.

— Ah! bien sûr, lui accorda Madame Auguste, un père c'est pas comme une mère. Une mère, c'est plus... Enfin, c'est elle qui vous a fait.

— Voilà !... Et c'est toujours une mère : qu'elle soit blanche, qu'elle soit jaune ou noire.

Aussitôt elle regretta, Madame Auguste, d'avoir ajouté cette phrase.

Elle savait qu'Auguste, depuis qu'on connaissait Gustave, n'aimait pas qu'on parlât de race, et même qu'il se fâchait des fois lorsqu'on essayait d'expliquer les choses par la couleur de la peau. Mais cette fois-ci, il ne dit rien, et Madame Auguste fut quitte de son imprudence par le coup d'œil qu'elle lui jeta en guise d'excuse.

Et maintenant, c'était Ernest Bernard qui racontait le rêve qu'il avait fait souvent quand il était jeune, d'aller aux colonies.

— C'était pas ma destination, disait-il.

Mais, tout de même, il avait eu l'avantage, au régiment, de fréquenter beaucoup de Nègres, d'Arabes et de Jaunes ; si bien que, tout en n'ayant jamais connu ces pays du soleil, il savait en parler joliment, avec toute la richesse de son imagination.

Tout à coup, Auguste s'était levé, et Madame Julien, croyant qu'il allait prendre congé, dit à son mari :

— Dis, Julien, il va falloir qu'on s'excuse, nous aussi.

C'est qu'il était déjà une certaine heure ; passé l'heure du souper, en tout cas, à ce qu'on s'aperçut brusquement. Mais Auguste invita, au contraire, tout le monde à rester là, disant qu'il revenait tout de suite. Il s'était penché vers sa femme pour lui parler tout bas, et il sortit, pendant que Madame Auguste disait en faisant bouger avec douceur ses petites mains potelées :

— Il revient, il revient ; il est allé voir quelque chose. Ce ne sera pas long.

Et avec encore un petit geste de ses mains aux doigts potelés :

— Oh ! ce n'est rien de conséquent.

Et Madame Pierredon qui, alors, se rassied :

— Toute façon, va falloir qu'on rentre, parce que le petit, je l'ai couché, mais si, des fois, il se levait, on ne sait jamais...

De fait, Auguste ne tarda pas à revenir. Mais il était tellement chargé des deux mains qu'il avait de la peine à ouvrir la porte pour entrer. Il poussait avec un bras, qui, en même temps, bouclait une espèce de couffin contre sa poitrine, et au moment où Jean Bordarier va à son aide, son corps a passé, suivi de son autre bras qui porte trois bouteilles de vin rouge attachées ensemble à leurs goulots par ses doigts. Le couffin qu'il dépose sur la table est plein de verres couchés pêle-mêle.

— Il ne fallait pas vous donner cette peine, observa Gustave.

Mais sa protestation tenait plutôt du remerciement et Julien était tout surpris, qui s'écria :

— Couillon ! Je n'y ai pas pensé ; autrement, j'aurais pu...

— Ce n'est rien, dit Auguste.

Il range les verres sur la table, juste au bord de la table, où le désordre de tout ce qui l'encombre a laissé un peu de place ; et pour vérifier s'il y a assez de verres, il les pose un à un et compte en même temps combien on est en tout.

Il sait, pendant qu'il verse le vin, que Madame Auguste pense qu'il aurait dû prendre des verres plus présentables, ceux qui sont hauts sur patte et qu'on met sur un napperon brodé dans un plateau ; mais, pour lui, ça a été moins compliqué d'attraper sur le buffet de la cuisine ceux de tous les jours, les pots à moutarde.

En revanche, à la cave, il avait choisi le bon vin, celui qui est destiné à être bu pour le plaisir et qui est de meilleure offrande.

La première bouteille en a manqué et Auguste, entre ses cuisses, en serre une autre pour extirper le bouchon avec le tire-bouchons de son canif.

Les neuf verres sont pleins, et il y a la bouteille vide, une bouteille où il reste un peu de vin et une autre pleine, toute droite, sous son habillage de poussière.

On commençait à avoir un peu soif, en effet ; comme quoi l'idée d'Auguste est excellente.

— Alors, mesdames, fit Auguste, montrant le service.

— Vraiment, c'était pas la peine, Monsieur Laurent, chuchote Madame Bernard. J'en ai vergogne, vous savez.

Lorsque les femmes furent servies, les hommes prièrent Gustave de se servir.

On but en silence, un peu gêné, semblait-il, entre ce vin si cordial qui suggérait des propos alertes, et le regrettable motif de cette réunion qui était de gravité, comme on se le rappelait à chaque gorgée.

Puis, de toute façon — on le sentait bien — il était temps de prendre congé. Mais il en est ainsi lorsqu'on est plusieurs : chacun attend qu'un autre se soit levé pour donner le signal.

Justement, cette fois, c'est Madame Bernard qui se leva :

— Ne faudrait pas qu'on vous fatigue de trop, Monsieur Audin. Je vous renouvelle mes condoléances. Tâchez tout de même de vous remettre un peu.

Là-dessus, chacun ajoutait un mot, un murmure de compassion. Et Gustave :

— Merci, Madame. Merci mes amis. Oui, ça ira mieux, merci.

On lui prend la main, on lui serre la main, tandis que Madame Auguste rassemble les verres qu'elle remet un à un dans le couffin.

— Merci, répète Gustave, et excusez-moi pour tout le dérangement. Et quant à toi, mon cher Auguste...

Mais comme il lui eût mis sa main sur la bouche pour le faire taire, Auguste le prend par les épaules :

— Regarde-moi bien, Gustave.

Il cherche le regard de Gustave, et Gustave a un fugitif sourire de mélancolie.

— Ne nous parle pas comme à des étrangers, tu m'entends ?

Maintenant Auguste avait sa voix forte qui semble être la résonance de sa poitrine encore large, épaisse et solide, la voix dont il a coutume de dire des paroles qui font plaisir.

— Songe seulement qu'à Uzande, tu n'es pas seul ; et tu ne seras jamais seul, quoi qu'il t'arrive.

Il semblait à Julien que c'était exactement ce qu'il aurait dit si Auguste lui en avait laissé le temps.

Et Madame Julien de renchérir :

— Croyez-le bien, Monsieur Gustave.

— Et j'en suis fier! fit Julien. Oui, parce que ça prouve qu'ici, à Uzande, on sait vivre avec tout le monde.

Madame Auguste refaisait à son cou et sur sa poitrine le nœud et les plis de son fichu; puis, elle coucha sur les verres la bouteille qui était vide et dit :

— Eh bien, Monsieur Gustave, bon courage, et essayez de vous reposer un peu, que voulez-vous ?

Alors Auguste a pris la main de Gustave dans la sienne et, son regard dans les yeux de Gustave, il lui serre la main avec un à-coup brusque, comme un nœud qu'on éprouve, et lui dit seulement :

— Gustave !

Gustave a appliqué son autre main sur la main d'Auguste qui enferme la sienne, de sorte que c'est la main d'Auguste, épaisse et chaude, qui se trouve amicalement prise entre les siennes, qui sont aussi rudes, et il serre longtemps et plus fort qu'Auguste, jusqu'à ce que le même sourire leur soit remonté au visage.

Sa femme s'en va devant et Auguste a pris le couffin et la suit, avec le couffin sous son aisselle, et tout est fini, lorsque Madame Pierredon, se ravisant :

— Mais vous n'avez pas soupé, Monsieur Gustave.

Puis elle regarde son mari qui s'exclame :

— Tiens ! Au fait.

— Oh ! je n'ai pas faim, dit Gustave avec lassitude.

— Pas question de n'avoir pas faim, proteste Julien. Viens à la maison, tu prendras la soupe avec nous.

— C'est de tout cœur, Monsieur Gustave, et ça vous remettra un peu.

— Allons, allons ! Mets ta veste, le presse Julien.

Il a été prendre sa veste dans la petite penderie. Il l'endosse et il garde son tablier de cuir.

Il est prêt.

Non, pas tout à fait.

Le temps de ranger le télégramme dans le tiroir de la commode.

RUE BLOMET ou PARIS BY NIGHT

RUE BLOMET ou PARIS BY NIGHT

Sur la table de la cuisine, il y avait un sachet de farine, du sucre en poudre dans un bocal, et dans un autre bocal des raisins de Corinthe — et aussi deux œufs posés à même le bois blanc de la table qui était propre, à côté d'un pain de beurre qui faisait comme une barre de plomb sous sa feuille d'étain. Tout cela, pêle-mêle sur la table de la cuisine où il fait clair — car c'était l'après-midi.

Puis elle se lavait soigneusement les mains, et, à la faveur de la mousse de savon, faisait glisser de son doigt la grosse malachite ovale sertie d'or blanc, qu'elle déposait dans le petit cendrier en verre, sur l'évier. Elle ne retire sa malachite qu'après avoir ainsi tout disposé sur la table de la cuisine pour faire le cake.

Tous les vendredis après-midi, depuis des années.

C'est pourquoi elle avait pris soin de mettre une fois pour toutes, au coin de l'évier, un petit cendrier en verre.

Et soudain elle était prise d'une sorte de crainte de ne pas réussir le cake. Pourtant Dieu sait que pour ce qui est de faire un cake, elle pourrait en remontrer à beaucoup de gens ! Mais c'est égal ; elle avait pour ainsi dire le trac. Comme pour le chant, par exemple.

Car il avait toujours suffi qu'il y eût trois personnes dont une lui était étrangère pour qu'elle se sentit les jambes molles, et sa voix blêmissait. Elle qui pourtant était si douée !

Un cake n'est cependant pas une exhibition : elle était toujours seule à le faire dans sa cuisine ! Elle avait beau se raisonner... Par bonheur, cela ne durait pas des heures ! En fait, elle passait outre et se mettait à travailler. Elle aimait à dire : travailler, en parlant de la préparation de son cake.

Et cela fait sourire lorsqu'on songe au mûrissement que subit parfois le sens des mots dans l'esprit au fur et à mesure qu'on va !... Elle, quand elle rentrait de l'école (elle avait alors ses « anglaises » avec un gros ruban bleu pâle devant, un peu sur le côté) sa mère l'embrassait et lui demandait seulement si elle avait été sage. Mais lorsque son père arrivait, il demandait :

— A-t-on bien travaillé ?

Heureusement on a toujours bien travaillé à l'école quand on est une fillette de cinq ans, avec des cheveux bouclés et un beau visage tout rond, tout rose, fleuri de deux petites fossettes !

Progressivement, c'était devenu pour elle le mot le plus épouvantable, à force de s'entendre dire qu'elle aimait trop à jouer et qu'elle eût mieux fait de travailler. Travailler à l'école, travailler son solfège, travailler sa voix, son piano. Et même après la mort de son père (elle avait environ quinze ans) c'était sa mère qui avait pris à charge de le lui rappeler souvent qu'elle devait travailler plus que jamais, tandis que tous ceux qui avaient pour tâche de la faire travailler continuaient à se plaindre de ce qu'elle n'en faisait pas assez. Des gens effroyables !

Ce qui lui déplaisait par-dessus tout, c'était cette espèce de supercherie dont on usait avec elle pour l'humilier ensuite. On lui proposait de faire telle chose parce que c'était beau : elle acceptait ; et tout de suite, en fait de belle chose, c'est au travail qu'on la mettait. Et lorsqu'elle se rebiffe ou manifeste sa déception, on n'a pas honte de lui dire :

— Ah ! mais c'est qu'il faut travailler, mon petit !

Elle s'était déjà fait avoir ainsi pour le piano, le chant, l'aquarelle. Mais quand, un peu plus tard, il a été question de la broderie et de la tapisserie ou de toutes autres choses se présentant sous les apparences d'une belle fleur à cueillir, tout simplement, son refus fut catégorique. Non, non, et non !

Elle avait déjà pris son parti de renoncer à tout plaisir qui se payât d'avance par un long travail.

Le travail c'est le travail.

Alors elle avait travaillé pour sortir du pensionnat, et encore pour avoir ses diplômes de comptabilité commerciale, de sténo-dactylo ; et tous les jours ouvrables, elle avait travaillé dans un bureau. Pendant trente ans ! Ce qui fait qu'elle avait fini par aimer à travailler, mais elle n'a pas varié dans sa position de ne pas superposer le travail et le plaisir.

Les jours fériés et pendant les deux à trois semaines qu'on lui accordait chaque année pour se reposer, elle s'était reposée, c'est-à-dire que, de son mieux, elle avait évité de travailler. Un petit voyage en Allemagne, tous les deux ou trois ans avec sa mère qui était de Zurich, et qui adorait Baden-Baden. Juste huit jours sur la Côte d'Azur avec sa mère.

Après la mort de sa mère, elle avait voyagé dix, quinze jours chaque année, pendant huit ans. Presque toute l'Italie à trois reprises, l'Europe centrale et la France. Surtout la France. Un beau pays, la France ! Un assemblage de beaux pays : l'Auvergne, le Pays Basque, la Bretagne. Elle avait visité tout cela. Elle était retournée sur la Côte d'Azur.

Et puis Paris. Ah ! Paris, quelle ville : quelle animation ! Un peu sale, par endroits : c'est dans un hôtel à Paris qu'elle avait vu pour la première fois une punaise. C'était affreux ! Mais quelle gentillesse ! Quelle vie, mon Dieu, quelle vie !

Autrement, ç'avait été le travail dans toute son austérité. Car elle n'avait jamais plaisanté dans un bureau. Elle avait été l'employée sérieuse, pour ses patrons. Quant aux collègues… Elle ne s'était jamais souciée de leurs opinions sur elle. Et sa mère l'avait toujours approuvée. Bien plus, elle ne s'était jamais permis de plaisanter avec ceux qu'elle avait eu l'occasion de faire travailler. Ni les employés qu'elle avait sous ses ordres, étant secrétaire générale, ni sa couturière, pas plus que son bottier, son coiffeur ou la concierge. Elle se faisait un point d'honneur d'être correcte avec tout le monde, et la correction pour elle marchait droite, avec un visage rigide.

Il n'y avait guère que sa mère qui connaissait son sourire. Elle souriait aussi aux livres qu'elle lisait et qui la faisaient parfois pleurer, à la partition de « Jardin sous la Pluie » qu'elle savait jouer presque par cœur.

En voyage aussi, elle souriait volontiers. A Paris, par exemple, elle disait tout avec le sourire — comme une vraie Parisienne. Et il y a aussi le lac, devant sa fenêtre, presque sous son balcon, dont la vue lui donne toujours un sourire qui, tel qu'elle le sent sur son visage, doit l'apparenter un peu à la Joconde.

Or, depuis quelque temps, elle souriait plus souvent. Depuis qu'elle ne travaillait plus et que, justement, travailler signifiait pour elle une façon de faire telles choses qui lui fissent plaisir. Ainsi, lorsqu'elle avait fini de faire son cake, elle s'exclamait à mi-voix :

— Ah ! j'ai très bien travaillé !

C'était à croire que ne passant plus huit heures par jour dans un bureau à compulser des papiers, marcher, téléphoner, signer, s'asseoir, se lever, sa vie avait beaucoup changé. Pourtant non ; car tout était resté comme avant. Bien plus ; comme du vivant de sa mère. De même que le fauteuil de sa mère avec sa têtière de dentelle, demeurait à sa place dans le salon, elle avait continué à vivre exactement comme si sa mère n'était jamais partie. Jamais elle n'avait été plus soumise aux goûts et aux principes de sa mère que depuis sept ans qu'elle était orpheline, seule et libre.

Le seul changement fut qu'un matin, au lieu de chausser ses richelieux noirs à mi-talons, et de coiffer son canotier noir à ruban de faille violine, elle était restée en peignoir chez elle, ayant écarté les rideaux pour voir dans la rue ceux qui se rendaient au travail. Elle n'était ni manifestement joyeuse ni gênée. C'était au mois de juin. Elle s'avança jusque sur le balcon et regarda le lac qui était bleu comme le Lac Majeur qu'elle avait vu une fois ; il était tout en petites vagues, et plus loin, on voyait la Dent d'Oche, mauve et bleue, réhaussée de blanc.

Soudain, elle eut envie de jouer du piano, et en même temps elle aurait pris un bain tiède pour se parfumer ensuite et s'habiller et se maquiller (un peu, pour une fois), sortir, discuter, avec les vendeuses, dire un mot pour rire au contrôleur du trolley-bus.

Ou bien, non... Elle serait restée en peignoir, en négligé, et elle aurait procédé immédiatement à une transformation complète de son appartement. Un tel embouteillage d'idées et de désirs, qu'elle vit trouble ; et son cœur s'était mis à battre trop vite. Alors, elle se recoucha dans son lit. Elle resta au lit toute la journée.

Le lendemain, c'était vendredi. Elle s'était levée comme à l'accoutumée, mais prise d'une torpeur écrasante ; debout, mais se sentant effondrée sur elle-même ; marchant, mais on aurait dit retenue aux chevilles. Cependant elle s'habilla comme si elle allait au bureau : son chemisier crème, sa jupe de flanelle grise, ses richelieus, son canotier. Puis elle sortit.

Elle allait vers Ouchy, selon l'idée qu'elle avait eue en arrivant dans la rue ; mais ayant fait quelques pas, lui vint aussitôt l'envie de marcher sans se presser ; et elle descendit ainsi toute l'avenue sans but, sans penser à rien ; et telle fut bientôt sa sensation d'être un objet léger, aérien, qu'elle en eut honte tout à coup et, comme pour s'accrocher et ne pas avoir le vertige, elle s'arrêta à la vitrine d'un magasin, puis repartit, s'arrêta devant le magasin suivant, jusqu'à ce qu'elle se trouvât place Saint-François qui ressemble à un malaxeur d'hommes, de femmes, de jeunes gens, de tramways, d'autos, de motocyclettes, tour à tour mis en mouvement et bloqués par les coups de sifflet ou les mimes prestigieux des agents. Elle traversa la place Saint-François sous un vol de pigeons et prit la rue du Petit-Chêne qui s'incline tellement que les mollets vous font mal lorsqu'on la descend. Mais arrivée près de la gare, voilà qu'elle a changé d'idée. Alors, elle remonte la rue du Petit-Chêne, étant passée sur l'autre trottoir, et s'arrêtant à chaque vitrine pour regarder les nouveautés, et aussi à cause de la côte qui la fatigue à chaque dix pas — si bien que c'est une des rues qu'il va falloir remplacer par un escalier mécanique quand on pensera sérieusement à faire tout pour ménager la vie de l'homme.

Ce qu'elle remarque en traversant la place Saint-François, c'est qu'il est près de midi ; et elle songe alors qu'elle n'a pas grand-chose à manger chez elle, étant donné que depuis la mort de sa mère, elle prend son repas du midi « A la Pomme de Pin ». Mais elle écarta vivement l'idée d'y aller : c'était aussi la pension de la plupart des employés de la maison, ses collègues, ou plutôt ses ex-collègues, avec qui, dès lors, elle n'avait rien à voir.

Elle mangerait chez elle. Justement il y avait le magasin mi-gros de l'autre côté de la place, où elle aimait bien s'approvisionner de temps en temps. Tout y est moins cher qu'ailleurs et puis on se sert soi-même ; ce qui est un plaisir, et on paie à la sortie, la caisse formant tourniquet.

Comme elle n'avait pas dressé une liste au préalable, elle dut passer en revue tout le stand et s'interroger à chaque article, consulter aussi son sac à main, n'ayant pas prévu beaucoup de dépenses. Eh bien ! je vais acheter juste de quoi déjeuner et dîner, et d'ici demain… D'ailleurs, il lui fallait réfléchir et arrêter tout un nouveau programme, puisque, somme toute, c'était une nouvelle vie qui commençait pour elle.

Autre chose fort amusante et non moins avantageuse dans ce magasin : l'article qui est présenté au rabais chaque jour à titre de réclame : la « Réclame du Jour ». C'était écrit au centre du stand, en haut, avec de grandes lettres lumineuses. Chaque jour une chose nouvelle : des vins assortis, des boîtes de conserves dans une résille en ficelle de couleur, des assortiments de gâteaux secs, un légume, une série de trois ou quatre produits d'entretien ; un véritable album d'images concrètes, dont chaque page est une surprise, une attraction — sans compter l'occasion irrésistible que cela représente toujours.

Ce que l'on proposait ce jour-là était un paquet de farine, un petit sachet de fruits confits et une boîte de sucre en poudre, un cube de beurre, une bille en matière plastique contenant de la levure, et il y avait même deux œufs ensachés comme deux cabochons dans une bande de carton, et un moule en fer blanc. Dans un coffret en carton. On eût dit pour offrir.

— Si c'est avantageux ! Mais ça revient beaucoup moins cher que chez le pâtissier, Madame.

C'est l'essentiel.

— Et il y a le moule qui sert toujours.

Car les « Réclame du Jour » sont toujours très entourées par ces dames qui ne cachent guère ce qu'elles pensent et qui déclarent : « C'est des saletés », ou bien : « On peut y aller ».

— Et il y a la recette par-dessus le marché.

Un dépliant en papier glacé, avec des images en couleurs.

De sorte qu'il n'y a pas à se tromper : chaque opération est expliquée, illustrée. La maîtresse de maison a une robe rouge à petits pois verts, un tablier blanc. Cela se passe dans une cuisine où tout est ivoire ; un carrelage vert, et la dernière page est comme un tableau représentant deux tasses de thé sur une broderie, à côté d'un cake brun et doré d'où une tranche a été coupée, montrant l'intérieur qui est blond et tacheté de fruits confits verts, rouges, bruns.

Elle, c'était la recette qui l'avait décidée. Tout était facile et amusant.

Maintenant, elle la savait par cœur, la recette, et ne s'en servait plus depuis longtemps. Maintenant, elle n'avait qu'à disposer les fournitures et les accessoires sur la table de la cuisine, et elle improvisait pour ainsi dire. De là, peut-être, cette espèce de trac qu'elle ressentait avant de commencer, cette crainte de ne pas réussir, alors qu'elle était sûre de réussir ; car maintenant elle s'y connaissait tellement que pour elle, il n'y avait pas de recette fixe : c'était son cake à elle et qui n'était jamais tout à fait le même cake deux fois de suite — et qu'elle fabriquait tous les vendredis après-midi.

Depuis des années.

Lorsqu'elle a fini, elle le laisse refroidir dans une assiette ordinaire, puis, pour vingt-quatre heures, le rentre dans le placard. Il ne lui reste plus qu'à laver ses accessoires et les ranger ; après quoi elle se savonne longuement les mains qu'elle frotte en même temps avec une petite brosse, à cause de la pâte qui a durci sur ses ongles. Et lorsque ses mains sont redevenues roses, fraîches et douces, elle reprend délicatement sa bague dans le petit cendrier sur l'évier, la glisse à son doigt et tend sa main renversée devant elle, pour en juger l'effet qui est toujours juste.

Le samedi matin, elle fit son ménage. Avant, c'était sa mère. Après la mort de sa mère, elle le faisait le dimanche ; mais depuis qu'elle est à la retraite, elle est revenue au samedi, comme sa mère.

En réalité, rien n'était jamais très sale ; sa chambre (celle de sa mère restant toujours bien faite et fermée), un petit salon, la cuisine, la salle de bains, une petite entrée.

Or, elle faisait sa chambre tous les matins, la cuisine était rangée et nettoyée presque après chaque repas, et comme elle n'avait pour ainsi dire pas de visites entre-temps et sortait peu, l'entrée et le petit salon restaient propres.

Ainsi, elle n'avait pas pris la peine de sortir l'aspirateur. Le balai à franges et le chiffon de flanelle seulement ; car il n'y avait guère que le salon à épousseter. Elle ne s'asseyait guère dans le salon. C'était la pièce de réception — et elle n'avait jamais reçu personne. Toutefois, elle aimait en essuyer les meubles, les bibelots. C'était son habitude de chaque samedi, une manière de discipline. Puis, cela s'était transformé en une sorte de dévotion, de dévotion au souvenir de sa mère ; car tout dans le petit salon avait été rangé par les soins de sa mère, et tout était resté comme sa mère l'avait quitté : le piano qui était devenu son piano depuis qu'elle avait commencé à y chercher ses gammes sous la domination musicale de Mlle Hermanuz — mais qui avait d'abord été le piano de jeune fille de sa mère ; un bon piano droit, de fabrication allemande ; le petit bureau Louis XVI dont sa mère fourbissait la galerie de cuivre deux fois l'an, et ce grand meuble qui est très, très vieux, et qui était venu par étapes successives de trente à cinquante ans des grands-parents de son père qui, lui, était du canton de Neuchâtel. Le seul meuble qu'elle eût vu intégrer la maison était ce guéridon en cerisier qui a des pattes de lion et un grand dessus tout rond en marbre gris veiné de blanc. Les déménageurs l'avaient apporté un jeudi matin, et son père s'était réjoui souvent d'avoir fait une excellente affaire.

De son père, il y avait deux choses dans le salon : au mur, une grande photographie dans un cadre rectangulaire noir et or (célle de sa mère était dans la chambre de sa mère, dans un cadre ovale), et un violon accroché au mur, au-dessus du petit bureau Louis XVI. Ce violon aussi avait toujours été là ; et son père, à ce qu'elle avait entendu sa mère dire une fois à Mlle Hermanuz, avait beaucoup aimé jouer du violon étant jeune ; puis le temps lui avait manqué de travailler comme il faut, et finalement, il s'en était dépris. Ce violon avait été tout le temps sans importance, sans signification pour elle, même dans le chagrin qu'elle avait partagé avec sa mère à la mort de son père ; et tout d'un coup (comme on est bizarre et les choses aussi !) depuis que sa mère était morte, ce violon était devenu pour elle un sujet d'émotion, comme s'il eût été à ses yeux le cœur même de son père baignant dans un liquide doré au fond d'un bocal.

Alors, elle voyait combien tout était resté comme du vivant de ses parents : sa vie entière réglée, marquée, envahie par sa mère ; et son père demeurant en retrait, silencieux, avec le bénéfice d'une tendresse figée mais profonde. Et c'est pourquoi chaque fois qu'elle en arrivait à ce violon, elle l'essuyait avec un soin très affectueux, passant délicatement la flanelle sur chaque cheville, sur le manche, sur les cordes, dans les incurvations de son contour, et :

— Pauvre papa, pensait-elle.

Elle en terminait par les trois fauteuils et la bergère de sa mère.

Ce qu'elle fit ce samedi-là.

Mais bien qu'elle se fût promis de couper le cake seulement à cinq heures de l'après-midi pour voir s'il était réussi, l'ayant vu pendant qu'elle préparait son déjeuner, elle le retira du placard, dans l'assiette ordinaire, le posa sur la table de la cuisine, et le peu de viande et de salade qu'elle mangea fut un prétexte pour en arriver au dessert. Alors, elle le mit dans un plat ovale en porcelaine fleurie de brins de lilas ; mais elle hésita, avec son couteau à la main, ne sachant pas si elle devait le couper au milieu, ou s'il valait mieux l'entamer par un bout, juste de quoi goûter pour voir. Un peu troublée, à vrai dire. Finalement avec le fil du couteau, elle mesura sur la croûte brune une petite épaisseur et appuya d'un coup ferme.

— Parfait !

Elle s'écria : « Parfait ! » presque tout haut. Une tranche, belle de couleur, comme elle la faisait tourner entre deux doigts. Elle mord dedans :

— Parfait ! parfait ! s'écriait-elle, la bouche pleine et la mâchoire excitée.

Le samedi après-midi elle ne sort pas. Même avant qu'elle eût été mise à la retraite elle ne sortait pas le samedi après-midi. Par beau temps, elle restait à son balcon, toute seule. La vue qu'elle a sur le lac vaut mieux que toutes les promenades dans le parc du Denantou ou dans les squares. Elle aimait mieux regarder passer les gens. Les uns tout seuls, les autres par deux, c'était à ses yeux un troupeau de touristes dont les allées et venues et l'environnement avaient pour elle l'attrait des oiseaux et des bêtes qu'on regarde dans les volières ou les grandes cages.

Mais son samedi après-midi avait changé depuis ce vendredi où elle avait fait un cake qu'elle avait parfaitement réussi.

Il y a des années.

Alors elle a fait son cake le vendredi, et le samedi après-midi elle s'habille comme si elle allait en visite. Mais au lieu de sortir, elle étend sur le marbre gris du guéridon un napperon de dentelle, et dans un va-et-vient tellement dépourvu d'hésitation qu'il semble avoir été réglé (c'est peut-être parce qu'il a tellement été répété depuis des années !), elle apporte le cake sur une dentelle en papier, dans ce plat ovale qu'elle préfère à l'assiette à gâteau qui est ronde, puis deux petites assiettes aux bords festonnés, qu'elle met face à face, au bord de la table, deux tasses et soucoupes qu'elle range à côté de chaque assiette, puis c'est le sucrier qu'elle apporte ; puis elle avance un fauteuil et fait pirouetter l'autre afin qu'ils regardent l'un et l'autre une assiette. Tous ces gestes et mouvements faits de mains sûres et avec un enchaînement continu. Maintenant elle sait à quelle hauteur elle doit laisser la flamme du réchaud à gaz pour que l'eau soit bouillante au moment voulu, et elle n'a plus qu'à attendre. Le temps d'aller s'arranger une dernière fois devant la glace, de toucher aux fleurs (lorsqu'elle en a mis sur le piano) comme elle bouscule ses cheveux pour les faire friser, ou bien, en passant, de bien accuser la symétrie de tout ce qui a été réparti sur la table du salon. Elle ne s'assied pas. Elle ne va pas non plus regarder à la fenêtre ou au balcon, comme l'idée lui en vient parfois lorsqu'elle commence à s'impatienter. Elle allonge plutôt les bras et les doigts tendus et serrés, elle considère sa malachite sur la peau de sa main qui est blanche comme du lait cru, et ses ongles qu'elle ne revêt d'aucun vernis, mais qu'elle « travaille » régulièrement à la brosse et au polissoir en chamois. Et puis lorsque l'attente la brûle vraiment, elle va se poster dans l'entrée, elle écoute : c'est le ronflement de l'ascenseur, un bruit métallique. Un temps. Et la sonnerie qui se met à vibrer ! Alors vite, un dernier coup d'œil à la glace, un dernier geste pour stimuler le frisottement de ses cheveux, elle a tiré le verrou...

Mais la première fois, elle n'avait rien préparé dans le salon, le cake ayant été remis dans le placard de la cuisine, car elle n'attendait personne. Raison pour laquelle elle avait écarté le volet du judas sur la porte avant de tirer le verrou.

Alors, sur le palier, on lui avait dit :

— Excusez-moi de vous déranger, Mademoiselle... C'est Monsieur Bachoffen, votre ancien patron, qui m'envoie au sujet de...

— Mais donnez-vous la peine, je vous prie.

Elle l'avait fait entrer dans le salon où les rideaux étaient ouverts, et il y avait un bouquet de fleurs sur le piano, elle lui avait offert un fauteuil et s'était assise dans son fauteuil en disant :

— Ah ! vous connaissez Monsieur Bachoffen ? Monsieur Bachoffen père ou fils ?

— Je connais les deux également bien. Ils font tous deux partie de notre Comité directeur. Eh bien, voilà...

Et recommençant :

— Vous avez sans doute entendu parler de l'Aide Fédérale à l'Enfance Déshéritée, n'est-ce pas ? Etant donné que nous allons procéder bientôt au renouvellement de notre Comité cantonal... Mais c'est plus spécialement le père, Monsieur Aloys Bachoffen, qui nous a vanté vos qualités exceptionnelles et nous a certifié que rien qu'une toute petite partie de votre temps et de votre dévouement serait d'une efficacité considérable pour l'avancement de notre œuvre.

— Mais je suis trop flattée de l'opinion que Monsieur Bachoffen a de moi, Madame.

C'était une femme de l'espèce qu'on dit fortement charpentée, bien qu'elle ne fût pas très grande. Ce n'était pas une jeune femme, mais de toute façon elle faisait jeune par rapport à l'âge qu'elle pouvait avoir. Elle avait une robe en lainage gris, un chapeau de paille blanc avec un bouquet de violettes ; elle avait un sac à main en matière plastique noire qu'elle tenait sur ses genoux ; elle avait de belles jambes rassemblées devant le fauteuil, elle avait de grands yeux châtains. Elle disait souvent :

— Eh bien, voilà...

Sa voix était nourrie d'intonations chaudes, et chacune de ses paroles se reflétait aussitôt dans ses yeux. Elle portait aussi une bague qui était un anneau assez large parcouru de petites pierres semblables à des gouttes de rosée. Elle avait du vernis rose aux ongles.

— Non, dit-elle, je suis célibataire : Mademoiselle Baron, Thérèse Baron. Je suis une vieille célibataire.

— Moi aussi ; et c'est la dernière des choses dont je me plaindrais.

— Oh ! je ne dis pas comme vous, fit-elle. Mais que voulez-vous ? Ça n'a pas été ma destinée.

— En tout cas, mieux vaut être comme ça que d'être mal tombée.

— Ah ! ça, je suis absolument d'accord avec vous.

De sorte qu'elle avait tout dit.

— Eh bien voilà ! Il ne me reste plus qu'à vous remercier de votre charmant accueil, Mademoiselle, et je me réjouis de votre consentement à vous joindre à nous. Je ne manquerai d'ailleurs pas d'en parler fort élogieusement à Monsieur Bachoffen en le remerciant.

Donc Mademoiselle Baron allait se lever, dire encore quelques mots de politesse en se tenant bien droite avec son sac à main dans sa main gauche, puis se pencher un peu en tendant l'autre main, et dire :

— Eh bien voilà, je vous dis au revoir, Mademoiselle.

Mais elle qui l'aurait gardée tout l'après-midi, tant elle se délectait de cette première visite qu'elle recevait de sa vie, la voilà prise de désarroi, ne sachant que faire pour la retenir un peu plus, n'ayant même pas un mot pour lui dire, comme elle aurait voulu, avec quel plaisir elle porterait sa bonne volonté à cette œuvre en faveur des enfants pauvres.

Alors soudain, elle pensa au cake qu'elle avait fait la veille et qu'elle avait si bien réussi, ainsi qu'elle l'avait constaté en le goûtant à midi, et vivement elle dit :

— Mademoiselle, je m'excuse, mais faites-moi le plaisir d'accepter une tasse de thé.

Tous les vendredis, Hélène fait un cake et le samedi Mademoiselle Baron vient prendre le thé, en mange trois tranches et ne manque jamais de la féliciter.

Depuis des années.

Mademoiselle Baron avait un peu voyagé, elle aussi. Or, à part l'Allemagne et l'Italie, Hélène et elle n'avaient pas vu les mêmes pays. Elle avait été en France, une fois, pour « faire » la vallée du Rhône, une fois les Châteaux de la Loire. Et elle ne connaissait pas Paris.

— Je trouve que c'est impardonnable à quelqu'un qui aime voyager de n'avoir jamais été à Paris, disait Hélène.

Mademoiselle Baron en convenait très humblement.

Elle, Hélène, la dernière fois qu'elle avait été à Paris, elle en était revenue malade.

— Mais malade à mourir !

En réalité, son voyage avait été un enchantement (comme les précédents) mais pour la première fois c'était un printemps ; et ce printemps à Paris avait été extraordinaire. On aurait cru que c'était Paris qui, par son ciel, ses jardins et ses avenues, avec ses vieilles pierres et ses nouveautés, ses perspectives et ses panoramas qu'on regardait de l'Arc-de-Triomphe, du Sacré-Cœur ou des plates-formes de la Tour Eiffel, avait donné au printemps une saveur et des reflets que nulle saison ne saurait avoir dans aucun autre pays. Cette fois-là, elle avait assisté à une fête de nuit à Versailles. Mon Dieu ! Comme ces gens-là savent faire les choses pour vous jeter dans une admiration telle qu'on croirait perdre les sens.

Enchantée !

Elle était rentrée enchantée ! Tellement que le lendemain tout ce qui l'entourait, son appartement, cette petite ville pourtant si élégamment provinciale, ce lac dont tout le monde raffole, tout lui parut soudain vide, méprisable, intolérable. Elle pleura toute la journée. Elle ne voulait voir personne. Elle resta cinq jours sans sortir, sans ouvrir les volets, claustrée dans son lit. Ah ! la vie n'est pas drôle, pour que même les jouissances les plus pures vous meurtrissent, vous terrassent...

Et lorsqu'elle dut sortir, ses paupières avaient été si enflammées d'avoir pleuré, et l'obscurité avait tellement agi sur sa vue, qu'elle ne pouvait pas suporter la lumière ; si bien que son premier soin fut d'entrer au Prisunic pour acheter des lunettes en verre fumé.

C'était à son dernier voyage à Paris. Elle ne l'aurait jamais raconté s'il n'était pas venu à Mademoiselle Baron l'envie d'aller à Paris en « voyage organisé ». Hélène n'était pas contre les voyages en groupes, mais elle s'estimait trop indépendante pour aller se promener avec une bande de gens qui lui seraient absolument indifférents et au milieu de qui elle serait moins qu'une goutte d'eau dans un récipient. Non, c'eût été une fatigue et une humiliation.

Mais elle n'avait pas déconseillé à son amie de s'inscrire.

— N'importe comment, un voyage à Paris en vaut toujours la peine. Surtout la première fois.

La seule chose qui l'avait un peu affectée fut la perspective de passer un samedi après-midi toute seule. Allait-elle faire un cake et prendre toute seule le thé, pour ne rien changer, ou bien vaudrait-il mieux n'en rien faire et supporter sans artifice son ennui ? Mais elle en fut quitte pour son appréhension, car lorsque Mademoiselle Baron s'en fut aux renseignements, il apparut que la durée du voyage était de six jours à compter du samedi au soir.

De sorte qu'Hélène avait fait son cake comme d'habitude, le samedi après-midi on avait pris le thé ensemble et, le soir, elles s'étaient séparées sur le quai de la gare où le train, avec tant de gens qui parlaient et agitaient la main aux portières, ressemblait à une grande volière.

— N'envoyez pas de cartes postales, lui répétait Hélène. Votre séjour sera trop court ! amusez-vous bien... Et surtout pas de cartes postales !

Et à présent, à peine a-t-elle ouvert la porte :

— Merci, pour vos cartes postales. C'était trop gentil à vous.

Hélène l'a embrassée une fois sur chaque joue, elle embrasse Hélène une fois sur chaque joue ; Hélène l'embrasse encore deux fois et l'entraîne dans le salon qui est éclairé par les longs plis du rideau d'organza qui tire du dehors toute la clarté de l'après-midi.

— Pas trop fatiguée ? demande Hélène.

Car elle n'est arrivée que de la veille au soir. Elle a mis un tailleur en fil à fil bleu pétrole ; elle a un minuscule bouclier en métal blanc ciselé au col de son chemisier ; et ce qu'elle a rapporté de Paris, c'est son petit chapeau de feutre teinte mode d'où jaillit une plume de faisan qui retombe au-dessus du front en traçant une belle courbe dans l'air.

— Oh ! ravissant, ravissant ! lui dit Hélène.

Elle remarque aussi le sac à main neuf, et Mademoiselle Baron lui tend un petit paquet.

— Ça, c'est pour vous.

Un petit paquet bleu pâle sur les plans duquel se croise un bolduc blanc à liseré or.

— Oh ! s'écrie Hélène.

Elle a joint les deux mains sous son menton et, la tête penchée, elle regarde Mademoiselle Baron avec des yeux étoilés de contentement.

Encore :

— Oh !

Et elle s'est précipitée pour l'embrasser deux fois, disant :

— Merci, merci !... Mais ce n'était vraiment pas la peine...

Et Mademoiselle Baron :

— C'est peu de chose ; peu de chose, en comparaison de toutes les belles choses qu'on peut voir dans les vitrines à Paris.

Hélène s'est assise dans un fauteuil, elle a mis le petit paquet sur ses jambes, elle en dénoue le ruban du bout de ses ongles, et à chaque repli du papier qu'elle défait :

— Oh ! oh !

Et la voilà qui a joint encore les mains et roucoule, la gorge renversée :

— Oh ! oh !... Comme vous êtes gentille. Oh ! Moi qui adore tellement les parfums de Paris !...

Mademoiselle Baron la regarde, comme intimidée par cette confusion de joie.

— Oui ! dit-elle, j'ai pensé que cela vous ferait plaisir.

— Oh ! Et voyez-moi cette admirable présentation. Ah ! ces Français !...

Et brusquement, se levant :

— Excusez-moi, chère amie ; comme je suis égoïste ! Je ne pensais plus à mettre le thé à infuser.

Emportant l'emballage et le coffret, elle se hâte vers la cuisine. Puis, revenant avec la théière en forme de poire.

— Alors, racontez-moi cela.

— Eh bien, voilà !...

Tout ce qu'elle avait lu, les photographies mêmes qu'elle avait vues, tout s'était révélé faux, du moins insuffisant en comparaison de ce qu'elle avait découvert en arrivant à Paris, un matin de juin.

— Là, dit-elle, les impressions des autres, fussent-ils des poètes, ne comptent pas. Paris ne se raconte pas ; Paris, on ne l'imagine pas.

On avait commencé par la visite du Louvre.

— Rien que ça aurait justifié le voyage, Hélène.

Hélène lui a mis un peu de lait et un morceau de sucre dans son thé, soucieuse de lui épargner toutes les petites opérations qui pourraient interrompre le récit. Elle lui a déplié un napperon sur sa jupe neuve ; et Mademoiselle Baron parle, parle déjà avec animation, comme se débattant au milieu de tout ce qu'elle voudrait raconter et qui trépigne d'impatience de sortir.

Jamais Hélène ne lui avait connu des yeux aussi pétillants, des lèvres aussi impétueuses ;

elle ne l'avait jamais vue, jetée avec une telle passion dans ses paroles, ni imprimant un tel magnétisme à ses moindres gestes.

— Mon Dieu, pense-t-elle, comme ce voyage lui a fait du bien !

En si peu de jours, Mademoiselle Baron semblait avoir acquis la faculté de situer les choses en quelques traits, de leur donner un sens et d'en tirer une conclusion formelle.

— Saint-Germain-des-Prés ? L'existentialisme ? Rien de sérieux. C'est cinquante pour cent de bluff, et puis un petit groupe de pauvres jeunes gens qui se font un panache avec leur ennui...

... Et puis, naturellement, il y a, comme toujours, la troupe de badauds, autour de l'église et à la terrasse des cafés.

Elle mange et boit automatiquement, la même mécanique servant pour le parler et le manger, la plume de son chapeau animée d'un balancement perpétuel.

D'habitude, à la première tranche de cake, à la première bouchée, elle s'écriait :

— Oh ! Hélène, vous n'aviez jamais obtenu ce velouté !

Ou bien :

— Vous vous surpassez chaque fois, vous savez !

Pour la première fois, elle avait omis de faire son compliment sur le cake. Mais qu'importe ! Hélène n'en prenait pas moins plaisir à revoir Paris par la pensée, avec les yeux, les sentiments de sa seule amie.

— Et au Louvre, qu'est-ce que vous avez visité ?

— Eh ! bien voilà, on a commencé par l'extérieur, bien sûr. Ah ! quelle merveille d'architecture ! Et à l'intérieur nous avons visité d'abord la sculpture du temps des Egyptiens. Vous voyez un peu ? Les sarcophages, les sphinx, les scribes, les choses comme ça. Puis nous sommes montés dans une salle où il y avait des peintures, des tapisseries et beaucoup d'objets précieux sous vitrines. Tout cela très ancien. Des merveilles ! Mais...

Elle est retenue par un réflexe de pudeur, puis...

— Eh bien voilà : cette visite, à franchement vous dire, ne m'a pas fait l'impression que j'attendais.

Comme Hélène sursaute et se met à battre des cils, elle affirme :

— Non. Parce que j'avais cru, à me trouver devant ces chefs-d'œuvre, que j'aurais éprouvé une sensation d'élévation, un bien-être semblable à un beau rêve éveillé... Eh bien, je dis que faire visiter cela, c'est, en quelque sorte, torturer les gens.

Elle voyait qu'Hélène n'avait pas encore compris et allait peut-être l'interrompre par une exclamation, par une question. Hélène n'en fit rien. Hélène la regardait avec un air concentré.

Alors elle s'empressa de s'expliquer :

— On se laisse mener à l'étalage de toutes ces belles choses dans le but d'éprouver une joie, disons un plaisir intellectuel, et une fois qu'on y est, voilà que vous ne respirez plus ; on a le cœur qui se met à battre trop fort, on n'a plus de pieds : on est comme suspendu ; sans bras non plus, avec les yeux qui vous sortent de la tête et se désespèrent déjà de ne pouvoir garder de tout cela une image fidèle et durable... Et qu'est-ce qu'on peut dire devant tout cela, à moins de murmurer lamentablement : « C'est formidable ! C'est fantastique ! » Vraiment, je trouve que, sur l'heure, on est plutôt malheureux.

Hélène emporte la théière de ce pas qui lui revient chaque samedi après-midi pour ses allées et venues entre le salon et la cuisine ; ce pas qui, tour à tour, mordille le tapis et agace le parquet de chêne clair, avec un rythme étriqué et qui s'accorde si bien avec sa jupe qui gaine un peu ses cuisses. Et c'est alors que Mademoiselle Baron, ayant précautionneusement tamponné le coin de ses lèvres avec sa petite serviette, s'écrie :

— Oh ! mais je n'avais pas remarqué ces belles serviettes et cette jolie nappe !

Et Hélène qui revient avec la théière qu'elle a rechargée d'eau bouillante :

— Ce beau service ? C'est de la dentelle valaisanne.

— Je sais, je sais ! Et c'est pourquoi je m'extasie.

Hélène a pris dans ses mains la bordure de la petite nappe pour montrer la finesse des points et la rareté du dessin que Mademoiselle Baron admire aussi dans la petite serviette qu'elle tient dépliée devant ses yeux, comme un écran.

— Et c'est pour moi que vous avez sorti cette belle parure ?

— Vous le méritez bien, ma chère, dit Hélène. Et puis, il fallait aussi que je fête à ma façon votre retour de Paris.

Ce sont des ouvrages qui ne se font plus guère, comme elles dirent ensuite. Les gens n'ont plus le temps. Et puis cela revient trop cher, et personne ne veut se le payer. Ça se perd.

Alors Hélène servit une tasse de thé à Mademoiselle Baron, lui présentant ensuite l'assiette à gâteau ; mais, Hélène s'y attendait, Mademoiselle Baron opposa la paume de sa main à l'assiette. Elle ne prenait jamais plus de trois tranches de cake.

— Et vous n'avez pas visité le Musée de Cluny ?

— Non, ce n'était pas dans le programme. Mais nous avons été au Musée Grévin.

— Oh ! oui, c'est amusant, le Musée Grévin... Mais si vous aviez été au Musée de Cluny, vous m'auriez dit si on a enlevé pour de bon une ceinture de chasteté qui y était dans le temps.

Et quand elles eurent fini de rire, Mademoiselle Baron s'écria :

— Ah ! mais il y a eu aussi une visite de Paris la nuit !

— Moi aussi, dit Hélène, je l'ai faite ; mais à cette époque-là, c'était surtout Montmartre qu'on visitait. Il n'y avait pas encore ces visites de monuments embrasés qui sont de toute beauté, à ce qu'il paraît.

— Une féerie !

Déjà les yeux de Mademoiselle Baron reprenaient cet éclat à la faveur duquel les choses dont elle parle se rapprochent tandis qu'Hélène se tenait immobile dans son fauteuil, les mains sur sa jupe bien tendue sur ses jambes, à cause de la mode qui veut qu'elle soit entravée, le cou renversé.

— Je vous dis que c'est prodigieux ! s'acharne Mademoiselle Baron, telle une enfant qui a trop couru et que son souffle empêche de raconter son histoire.

Alors, se surmontant un peu :

— Et puis, nous avions droit à une boîte de nuit. Au reste, c'était écrit dans le prospectus : « Paris by night : *trois monuments et un cabaret* ».

— C'est vrai, se rappelle Hélène. Moi, je n'ai jamais pu aller dans ces endroits-là, étant donné que j'ai toujours préféré être seule... En cela les voyages collectifs ont du bon.

Mademoiselle Baron déposa vivement la tasse qu'elle allait porter à ses lèvres.

— Erreur, chère amie ! Erreur ! criait-elle avec un geste de véhémence ; je vous assure que c'est en cela au contraire que ce genre d'organisation est un esclavage.

A aucun moment, même pas lorsqu'elle évoquait le supplice des musées, Mademoiselle Baron n'avait trahi une telle contrariété. Une si vive rancœur, qu'Hélène se sentit un peu coupable.

— Mais qu'est-ce qui s'est passé ? s'empressa-t-elle de demander. Ah ! mon Dieu ! Je vous dis que dans ces voyages organisés, il doit toujours y avoir quelque chose qui, en fin de compte, vous fait regretter !...

— Oh ! fit alors Mademoiselle Baron, notez que ce n'est rien de grave. Ce n'est même rien du tout... Eh bien voilà...

Pour mieux saisir, Hélène s'est penchée un peu en avant, les coudes appuyés de chaque côté du fauteuil, et, pour commencer par le commencement, il a fallu que Mademoiselle Baron expliquât que, comme boîte de nuit, elle s'était fait inscrire pour une « ambiance exotique ».

— Parce que je m'étais dit : « Comme ça, tu auras vu Paris, plus, quelque chose qui change un peu, tout en étant au sein de Paris. »

C'était son dernier soir.

— ... Une petite rue un peu quelconque, mais avec beaucoup de circulation tout de même... Au reste, Paris, avec les autos, c'est comme des abeilles sur un rayon de miel.

Alors le pullmann s'arrête et le guide annonce dans le haut-parleur : « Mesdames, Messieurs, nous allons avoir le plaisir de vous introduire dans un milieu des plus typiques de « Paris la nuit »... Dans quelques instants en effet, nous allons descendre au fameux « Bal Nègre ».

Quelques femmes retinrent un petit cri, à la façon des enfants qu'on promet à Croquemitaine. D'autres n'avaient pas entendu et le speaker répéta : « Le plus célèbre bal nègre de Paris. »

Et il ajouta :

— Nous nous réjouissons du plaisir que vous procurera votre soirée ; car ce bal, par ses attractions et sa musique typique, est un lieu très prisé par les artistes et par tous ceux qui recherchent le dépaysement... Seulement, nous croyons devoir vous faire quelques recommandations. Ce bal est surtout fréquenté par des Noirs, des Africains, des Antillais ; mais comme vous le verrez, beaucoup de blancs y vont aussi ; et l'usage et le bon esprit veulent qu'ils ne se cantonnent pas dans une attitude de curieux. Ils se mettent à leur aise et participent à la fête même très fraternellement, car en France, il n'existe pas de discriminations raciales. Donc, en entrant, il vous sera servi un verre de leur fameux punch martiniquais, breuvage d'une rare saveur, ainsi que vous allez vous en rendre compte. L'addition, service compris, est à la charge de la Compagnie... Mesdames, Messieurs, nous vous souhaitons une joyeuse soirée.

— Ah ! c'était bien, fit remarquer Hélène.

— Ce n'était pas tout à fait ses termes, mais, en gros, c'était ça. Et ce n'était pas mal tourné. Tout le monde est ravi. (Il y en avait même qui faisaient déjà du tam-tam sur les banquettes, et des épaules qui se balançaient.) Le car démarre doucement, stoppe quelques mètres plus loin, et on nous invite à descendre. Hélène ! Nous n'étions pas encore tout à fait entrés dans la salle de bal (le guide remettait au contrôle nos billets qui avaient été retenus à l'avance), que je sens que toutes les recommandations avaient été superflues. Rien que la musique qui vous parvenait, et l'espèce de lueur joviale qu'elle mettait sur les visages, et on était déjà transplanté. Vous ne vous sentiez plus la même personne.

— Moi, dit Hélène, j'ai déjà vu beaucoup de Noirs, mais pas tous ensemble... Tenez ! il n'y a pas bien longtemps, j'allais à Lutry ! dans le compartiment, il y avait une jeune femme noire assise en face de moi ; elle était tellement belle que je ne cessais de la regarder. Elle devait me trouver très bizarre, du reste. Mais je pense, tout de même, que ça doit faire une certaine impression de se trouver tout d'un coup, pour la première fois, dans une foule de Noirs.

— Oh ! notez que déjà nous étions beaucoup de Blancs. Mais c'était, je vous dis, plus extraordinaire que si on était en train de rêver qu'on est parti dans ces pays, là-bas.

Hélène, les coudes toujours sur les bords du fauteuil, a porté une main sous son menton. Elle regarde Mademoiselle Baron, elle l'écoute, elle la suit, elle l'accompagne, et son cœur bat du même mouvement que le cœur de Mademoiselle Baron qui lutte avec les battements de son propre cœur pour parler.

— Lorsque nous sommes entrés dans la salle, tout le monde était debout. Même ceux qui semblaient avoir été assis à des petites tables, autour de la piste et au long d'une tribune au-dessus de la piste, s'étaient levés et au milieu de la piste, un homme et une femme dansaient. L'homme était buste nu et pieds nus, avec un simple pantalon de travail. Il n'était pas noir, mais d'un bleu foncé comme les myrtilles ; et pourtant, il rappelait à la fois les sculptures égyptiennes et les héros grecs qu'on avait vus au Musée du Louvre.

La femme est une mulâtresse, comme on les appelle, lorsqu'elles ont ce teint qui fait penser à des épices, et elle est pieds nus, elle aussi. Elle est vêtue d'une robe de soie verte, une espèce de petite robe d'été assez décolletée, mais pour ceinture, c'est un mouchoir de cotonnade bariolée...

— Un madras, dit Hélène, ça s'appelle, je crois.

— C'est cela ! Et ça lui prenait tout le derrière et lui faisait une de ces croupes qui tournait comme une toupie. Le guide nous dit alors que c'était une danse de plantations.

La femme est belle. Autour de sa tête il y a un autre madras dont les plis jouent avec ses cheveux qui sont noirs et luisants. L'orchestre qu'on voit sous la tribune joue une musique qui vous mange le sang, et la danse de la femme est toute de contorsions, de convulsions, de roulis et de spasmes, parce qu'elle est une canne à sucre douce et souple dans la brise. Elle lève ses bras qui sont de longues feuilles de canne à sucre, et son sourire est la fleur neigeuse de la canne à sucre, et ses pieds nus qui ne se déplacent guère sont les racines de la canne à sucre ; et la tige de la canne à sucre qui (comme on l'a appris à l'école) est pleine d'un jus sucré, et qui est lisse et tendre, est sa poitrine, son ventre, ses hanches qui se balancent dans la gaine de madras, et les cuisses rassemblées qu'enserre la jupe aux reflets glissants.

L'homme est celui qui coupe la canne à sucre. D'abord, il regarde la canne à sucre se balancer à la brise de la musique, il la caresse, car sa peau est douce, et tout le monde est debout qui le regarde faire. Puis, avec un long coutelas de vingt-sept pouces qu'on ne voit pas, mais qu'il entraîne au bout de son geste, il coupe la canne à sucre. Elle, la mulâtresse, elle était une canne à sucre, elle a été fauchée, mais elle est devenue une autre belle canne à sucre pleine de jus frais et doux qui se balance dans la musique, et le nègre la coupe encore, en levant son bras qui est musclé et en abattant son bras avec force. Elle est une autre canne à sucre, puis une autre canne à sucre et encore une autre canne à sucre : un champ de cannes à sucre !

Le Nègre coupe la canne à sucre ; c'est son métier. Il est en sueur.

— Beau comme un Dieu, Hélène !

Il coupe une canne à sucre avec joie, cent cannes à sucre avec joie. Une canne à sucre avec vigueur, mille cannes à sucre avec vigueur, car son bras est puissant qui luit sous la sueur.

Puis une canne à sucre avec lassitude.

Il a faim.

Mais encore cent cannes à sucre avec courage.

Puis une autre avec dégoût.

Et toutes celles-ci avec colère.

Parce que le champ de cannes à sucre est au planteur ; et lui, c'est le travailleur. Parce que le champ de cannes à sucre est la richesse du planteur, et que c'est sa ruine et son malheur que de couper la canne à sucre du planteur qui ne l'aime pas et se moque de sa fatigue et de sa faim.

Alors, il sent qu'il faudra bien qu'un de ces jours...

C'est à devenir fou, avec ce trombone déchaîné comme un ouragan qui vous pousse, cette batterie qui vous commande, tandis que le saxophone vous prêche toujours la modération, la patience...

— Alors, il éclate de rire, le Nègre.

La musique s'est tue et le rire du Nègre emplit toute la salle. Son rire, comme un jaillissement de sang et comme un éclaboussement d'étincelles, et qui nous a coupé le souffle. Puis la musique reprenant, il assemble aussitôt les cannes à sucre, en fait un paquet qu'il charge sur son épaule, et c'est la femme qu'il emporte vers le fond de la salle, sous un orage d'applaudissements.

— Oh ! si vous aviez été là, Hélène !

Hélène regarde d'un air presque désappointé. Elle s'attendait à une conclusion désastreuse, or c'est sur une espèce de point d'orgue que Mademoiselle Baron termine son récit.

— Puis..., reprend Mademoiselle Baron.

Alors Hélène se retient de bouger.

— Puis nous nous sommes assis, et on nous a servi le fameux punch. Vraiment, Hélène, chaque chose dans cet endroit avait, comme qui dirait, un effet magique... On vous apporte ça dans un verre à porto ; ça a la couleur d'un thé léger, avec une rondelle de citron qui trempe dedans. Mais à peine l'avez-vous porté à la bouche que l'arôme seulement... Quant au goût, ce n'est comparable à rien de ce que nous avons bu dans nos pays. Il y a le parfum, il y a la saveur ; c'est une chaleur qui part de votre poitrine, et qui se propage dans tout le corps. Pas une chaleur comme lorsqu'on a bu une boisson chaude, mais une sensation que vous avez avalé un chalumeau oxydrique et que de minces flammes circulent dans vos veines.

— Mais ça doit être infernal ! s'écrie Hélène.

— Au contraire !

Et comme Hélène a froncé les sourcils, et semble prête à faire un écart en arrière, son amie s'est penchée sur la table où elle a étalé sa main sur la nappe de dentelle, et d'une voix calme elle explique :

— Au contraire, parce qu'en même temps, ça agit un peu comme un stupéfiant.

Mais Hélène n'en est pas rassurée pour autant, qui s'écrie :

— Donc, ça doit soûler terriblement !

— Non, ça vous grise. On se sent bien, on est en train, on a de l'assurance, de l'envergure. Vous n'avez point la tête qui vous tourne, mais vous êtes grisée, quoi.

Pendant ce temps on voit les Noirs qui dansent leurs danses de mouvements liés avec tant de grâce et d'entrain que c'est l'amour qui est dansé ; mais c'est surtout un jeu de garçons et de filles qui ne pensent pas à l'amour.

— Avec ça quelle ambiance, Hélène !

On n'est plus à Paris, malgré tous les Blancs qui dansent aussi. Mais justement, même ces Blancs, lorsque je les regarde, ne paraissent plus être des Blancs ; ils ont la blancheur de la peau, il y a des femmes aux cheveux blonds ou roux, des yeux bleus, mais tout ça danse avec le même balancement de tout le corps ; et quand ils parlent c'est encore l'accent de ces gens-là. Et les hommes, blancs ou noirs, rient à gros éclats. On est dans une fête, une fête qui ne finira pas — à moins qu'on n'en meure violemment à un moment donné.

— C'était formidable !

Hélène a bougé dans son fauteuil, croisant ses bras sur sa poitrine, sans détacher son regard de celle qui ayant bu deux gorgées de thé, murmurait :

— C'était drôle ! Nous aussi, on se sentait devenir comme eux. Ce sont des gens d'une gentillesse si chaleureuse !... Mais lorsque vous retournerez à Paris, il ne faudra pas manquer d'y aller. Vraiment cela en vaut la peine...

Et encore :

— C'est inimaginable, vous dis-je...

Mais:

— Seulement, comme je vous le disais, n'y allez pas avec n'importe qui. N'y allez avec personne. Toute seule ! C'est un conseil que je vous donne.

Et elle s'est rejetée au fond du fauteuil avec indignation.

Hélène se tait, semblant réfléchir.

— Oui, soupire-t-elle enfin, il est certain que tout le monde ne peut pas apprécier ces genres d'attraction ; c'est tellement spécial !

Il y a la théière sur la table ainsi que le sucrier avec sa pince à sucre en argent, les petites assiettes de porcelaine grainées de miettes de gâteaux, le pot à lait et le reste de cake dont on n'a plus faim et qu'Hélène mangera à raison d'une petite tranche avec son café au lait du matin jusqu'au samedi suivant. Hélène appuie alors une main experte sur la panse de la théière, ainsi qu'on palpe le front d'un malade, et :

— Laissez-moi vous en servir un peu de chaud.

Et Mademoiselle Baron :

— C'était une soirée qui aurait pu être extraordinaire, Hélène ! Au reste, vous avez raison : cette affaire de voyages en groupes est la dernière des choses pour l'indépendance.

— Mais pour ce qui vous concerne, vous n'avez pas trop à le regretter, à ce que je vois.

— Ah ! soupira Mademoiselle Baron. Eh bien voilà : nous étions assis, en train de boire cette délicieuse chose qu'on nous avait servie, et voici un homme debout devant moi. Je ne l'avais pas vu venir. Noir, grand, avec un costume gris bleu. Il me tend la main, mais sotte que je suis, je ne réalise pas tout de suite. Il me tend la main, il sourit ; alors je lui donne la main, comme ça, gentiment, mais il garde ma main, me tire doucement. Je me lève, et le voilà qui m'entraîne, toujours souriant. J'aurais voulu me ressaisir et lui dire : « Excusez-moi, monsieur, je ne sais pas danser », mais je suis tellement intimidée, que je commence à voir trouble, et ne puis parler. Déjà nous sommes sur la piste de danse, nous sommes dans la mêlée des danseurs. Cet homme retient ma main et passe son bras autour de moi. Ma pauvre Hélène ! J'ai la tête qui est partie complètement. Je n'entends plus la musique, je ne sais pas ce que je fais avec mes pieds, moi qui n'ai jamais dansé...

Brusquement Hélène s'esclaffe, la main devant sa bouche et son visage est tout rouge de confusion.

Mais Mademoiselle Baron, comme si elle ne voyait même pas Hélène toute secouée de rire en face d'elle :

— C'est bizarre. Oui, c'est bizarre. Car malgré tout, je sentais la poitrine de cet homme contre ma tête et je sentais son bras autour de moi, mais moi-même je ne me sentais pas. J'étais si vous voulez, comme un nuage au sommet d'une montagne... Vraiment, c'est la première fois que je me suis trouvée dans un pareil état. Mais la poitrine de l'homme était d'une chaleur !... Et tout à coup — mais à peine si cela faisait cinq minutes en tout — tout à coup qu'est-ce que j'entends ? La voix du guide qui fait : « La soirée est terminée, Mesdames, Messieurs, en voiture ! » Dieu vous préserve d'un tel choc !... Hélène, j'ai senti que j'aurais tué cet homme !

Elle s'est frappé les cuisses de ses deux poings et elle ne peut plus parler : le souffle lui a manqué, ses mâchoires se serrent. Alors Hélène :

— Mais ce n'était pas sa faute. C'était plutôt gentil de vous inviter à danser.

— Le guide, Hélène ! Le guide ! vocifère Mademoiselle Baron, en tapant sur le bord de la table. Ce maudit guide !

Ce qui a fait un tintement de vaisselle, et brusquement Hélène :

— Aïe !

— Oh ! s'écrie Mademoiselle Baron en faisant un écart en arrière avec son fauteuil, pendant qu'Hélène se penche vivement vers elle pour essayer de retenir la tasse qu'elle a renversée.

— Oh !

Le thé se répand sur la table, sur la nappe de dentelle, et il a aussi coulé sur la jupe de Mademoiselle Baron.

— Ah ! mon Dieu, fait encore Hélène.

— Oh ! oh ! s'exclame atrocement Mademoiselle Baron se tordant dans son fauteuil. Votre si joli service !

Hélène a couru à la cuisine ; elle accourt avec un torchon propre et se met à frotter la jupe.

Mais Mademoiselle Baron lui tire le torchon des mains.

— Laissez, laissez ça... C'est votre beau service que j'ai sali tout bêtement... Mon Dieu, que je suis honteuse !

Hélène a beau répéter :

— Ce n'est rien ; le service ça se lave ; mais votre jupe...

L'une tirant, l'autre frottant, jusqu'à ce que Mademoiselle Baron, ayant lâché prise, enferme son visage dans ses mains et se mette à sangloter tout haut, pendant qu'Hélène se dépêche de frotter la jupe, après avoir été mouiller un bout du torchon à la cuisine ; puis elle éponge la table qu'elle débarrasse vivement de tout. De plus en plus vite, attrapant les choses et les emportant comme pour les mettre à l'abri d'un coup de vent qui arrive.

Enfin, elle a escamoté la nappe souillée, elle essuie la table d'un grand tour de bras, elle a mis dessus un petit napperon rose à broderie bleue et elle prend la tête de Mademoiselle Baron entre ses mains.

— Tenez, c'est fini : voyez.

Mademoiselle Baron pleure derrière le masque qu'elle se fait avec ses deux mains. Hélène essaie doucement de lui retirer ce masque, mais les doigts de Mademoiselle Baron se resserrent et résistent :

— Allons ! ce n'est rien : c'est fini, lui murmure Hélène. Vous me faites de la peine.

— Oh ! Hélène, vous ne pouvez pas savoir. Vous ne me comprenez pas.

— Si, si ! proteste Hélène. Je vous comprends. Je sais ce que c'est...

Alors brusquement, Mademoiselle Baron a découvert son visage, elle lève vers Hélène debout auprès d'elle des yeux rougis, aux paupières toutes barbouillées de larmes écrasées dans la poudre de riz.

— Oui, moi aussi, dit lentement Hélène, j'ai passé par là... Ce n'était pas un voyage organisé et ce n'était pas un Nègre. J'étais avec ma mère, sur une plage, à Nice. Ma mère tricotait sous un parasol. Je me baignais. Un Espagnol m'avait prise dans ses bras pour m'apprendre à nager. Brusquement, j'entends la voix de ma mère !...

Mademoiselle Baron a baissé la tête, Hélène a poussé un soupir.

Elles ne se sont rien dit pendant un long moment.

Hélène l'a prise par le bras et, docile, Mademoiselle Baron s'est levée. Hélène l'emmène, elle se laisse mener. Elle a dit seulement : « Attendez ». Le temps d'ouvrir son sac à main qui est sur le « fauteuil de maman », à portée, d'y retirer un petit mouchoir dont elle a tamponné ses paupières, et elle se mouche ; puis Hélène a passé un bras autour de ses épaules.

Elles ont fait quelques pas vers la fenêtre où Hélène écarte le grand rideau d'organza ; et le lac est bleu, en bas, tout près, séparé du ciel par une bande déchiquetée de montagnes d'un bleu plutôt violet, car c'est presque le soir.

Le trolley-bus venait de passer, montant vers Puilly ; son ronronnement déjà était bu par le silence du quartier.

Et le lac était calme, oh tellement calme !

JOSÉPHINE

JOSÉPHINE

J'avais environ huit ans.

Mes petits camarades avaient leurs frères, leurs sœurs, des oncles et des tantes ; mais nous étions seuls, ma mère et moi.

Nous habitions cette partie du village où, sous de grands arbres au feuillage sombre, couvait une vie résignée dans la misère : le Haut Morne. Des cases, les unes éparpillées, d'autres groupées dans une promiscuité nécessaire par trois ou cinq, selon l'écartement des arbres, semblait-il — toutes dissimulées par une touffe de bananiers ou un petit jardin de manioc. Chacun de ces îlots avait un nom. L'autre partie du village s'allongeait vers le bas ; on l'appelait le bourg.

Le bourg était une longue rue sinueuse, bordée de maisons en bois posées sur des perrons. Une rue qui venait de loin — étant la traversée du village par la grand-route — et qui conduisait vers Taupinière, Diamant, et tous les pays de par-là que touche la mer.

Le bourg jouissait du spectacle permanent des passants, des voitures et des chevaux. A

Calebassier, la vue ne pouvait s'échapper bien loin. Mais de toute façon, ici ou là, c'était la même vie conditionnée par les immenses champs de cannes à sucre qui couvraient tout le pays, et les usines où, même en pleine saison, il n'y avait jamais du travail pour tout le monde.

En semaine il ne se passait presque rien — à une mortalité près. Le samedi soir les tam-tams s'éveillaient comme un dieu qui exigeait des danses et des libations en échange d'une nuit d'oubli. Le dimanche matin tintaient les cloches de l'église où le prêtre reprochait souvent à ses ouailles de consacrer trop d'argent aux tam-tams et aux combats de corps, et pas assez à la paroisse.

En semaine il pleuvait parfois, mais le dimanche, il me semble, était toujours paré d'un soleil particulièrement sensible; sans doute à cause de la messe, à cause des robes d'indienne, des costumes blancs bien apprêtés et bien lissés des enfants, à cause des coloris disparates du marché en plein air.

Ma mère avait déménagé de la Cour Bambou où nous habitions, dans le bourg. On déménageait souvent. Je ne sais plus ce qui avait motivé ce déménagement. Peut-être le loyer à la Cour Bambou était-il trop cher, ou que la toiture faisait eau comme le feuillage d'un tamarinier sous l'averse. (Cet arbre, dit la légende, mécontent d'avoir reçu des feuilles en forme de paillettes, donne une ombre nocive et n'abrite point de la pluie.) Ou bien, parce qu'elle avait remarqué qu'elle n'avait pas de chance à la Cour Bambou.

Je ne sais pas non plus comment elle avait pu dénicher cette chambre à Calebassier. Peut-être en ce temps-là arrivait-il qu'il y eût souvent des chambres à louer et que le bruit en courût.

A Calebassier il y avait trois cases dont l'une donnait sur le sentier qui descendait vers le bourg, et nous habitions dans l'une de celles de derrière.

Nous avions déménagé un soir, mais alors qu'il faisait encore assez clair, afin de ne pas passer pour des gens qui abandonnent leur logement sans avoir payé le loyer. C'était un samedi. Un bon jour, paraît-il, pour en finir avec ce dont on ne voudrait plus. J'avais aidé ma mère à transporter nos hardes, les ustensiles, et ce que nous possédions comme meubles. Nous avions dû faire plusieurs charrois.

Nous y étions entrés avec un pain, une poignée de sel, une demi-calebasse remplie de charbon de bois — comme il se doit lorsqu'on prend possession d'une nouvelle demeure. Ensuite, ma mère avait arrosé le sol de terre battue avec « une préparation » pour conjurer les mauvais esprits aussi bien que pour détruire tout maléfice qui pût subsister dans la case. Elle avait aussi cloué au-dessus de la porte et par en-dedans une image de piété. Les voisins s'étaient abstenus de venir nous aider à entrer nos meubles, étant donné que nous ne les connaissions pas encore et qu'ils étaient par conséquent suspects de nous jeter un sort en y touchant. Ils nous souriaient avec sympathie et vaquaient à leurs occupations en chantant pour nous montrer que nous leur plaisions et qu'ils se réjouissaient de notre arrivée. Nous eûmes vite fait de placer les gros meubles, c'est-à-dire les quatre caisses et les planches qui composaient le bois de lit de ma mère, le divan rembourré d'herbes sèches sur lequel je couchais, notre table de bois blanc et un ou deux escabeaux.

Ce n'était pas mal comme logement : une pièce carrée sous une toiture en tôle ondulée qui ne paraissait pas très perméable, deux fenêtres, une porte pleine, le sol assez bien nivelé. Ma mère n'eut qu'à accrocher et tendre une étoffe d'indienne d'une cloison à l'autre, et c'était comme si nous avions une « salle », avec la table et le divan, la caisse contenant les canaris, et une chambre avec le lit.

Le devant de la case n'était pas moins agréable à mes yeux avec de grosses pierres ancrées çà et là, et qui servaient de sièges où les hommes pouvaient s'asseoir pour causer le dimanche après-midi ou pour « tirer » des contes le soir.

Pourtant cette installation nouvelle ne m'avait point enchanté. Aucun des cinq ménages qui habitaient Calebassier n'avait de garçon de mon âge. Du reste, à part deux petites filles en bas âge et un grand jeune homme qui travaillait déjà dans la « petite bande » sur les plantations, j'étais le seul enfant qui avait l'âge d'aller à l'école.

Heureusement, car non seulement ma singularité me privait de compagnons de jeux, elle tournait encore à mon désavantage en faisant de moi le garçon de courses des habitants de Calebassier.

Au début cette servitude m'amusait assez.

— Mon petit, veux-tu descendre à la boutique me faire une petite commission ?

Une roquille de rhum non réduit — pur — et deux sous de kérosine pour la lampe.

J'acceptais avec empressement. C'était l'occasion d'aller faire un tour au bourg, après l'école, d'y entretenir mes relations avec mes anciens camarades de la Cour Bambou, et c'était en même temps comme un témoignage de sympathie auquel je n'étais pas peu sensible.

J'étais surtout vif et zélé, je n'étais pas un gosse lent et musard à laisser mourir de soif celui qui l'avait dépêché pour acheter un quart de rhum. Je ne perdais pas la monnaie dans l'herbe des sentiers. D'ailleurs, souvent on me récompensait aussi : un sou, deux sous. Mais à la longue... Car parfois on ne me laissait pas souffler. Il fallait faire la navette trois, quatre fois de suite. Et pas question de refuser : on porterait plainte à ma mère, qui me battrait et me « pilonnerait » comme elle disait ; et par surcroît j'aurais encouru l'opprobre de l'enfant qui refuse de rendre service aux grandes personnes. Certes, ma mère avait dû se rendre compte de l'abus qu'on faisait de ma serviabilité ! Bien souvent elle-même avait besoin de moi, et j'étais en course pour Monsieur Untel ou Mamzelle Unetelle. Mais qu'y pouvait-elle ? Une personne peut-elle refuser de prêter son petit garçon un petit instant pour rendre un petit service à une voisine ?

Alors de temps en temps, las ou excédé, je profitais de ma rencontre avec quelque camarade, soit à l'aller, soit au retour, pour jouer sans remords, au risque de casser la bouteille, ou de semer le pot de riz.

Ce qui me déplaisait particulièrement, c'était quand on me disait :

— Va chez Madame Silvérie, dis-lui de m'envoyez une chopine de rhum.

Presque toujours plus de rhum que de pain !

Je n'aimais pas aller demander à crédit, car le plus souvent, dans ce cas, il me fallait avaler les rebuffades et les réflexions peu aimables des commerçants qui, lorsqu'ils ne m'avaient pas opposé un refus brutal et retentissant, me chargeaient de faire un rappel sévère à Mamzelle Unetelle ou à Monsieur Untel dont le compte n'avait même pas été arrosé depuis trois semaines.

— Et dis-lui bien que je l'attends samedi sans faute, après la paye !

J'en mourais de honte, même lorsqu'il n'y avait pas de témoin.

⁂

C'est vers cette époque-là que Mamzelle Négresse vint habiter à Calebassier.

Mamzelle Négresse portait toujours une vieille robe noire par endroits roussie par le soleil, et un madras à carreaux noirs et gris qui lui faisait une coiffe d'où dépassaient des cheveux blancs.

Son œil gauche s'ouvrait à peine, montrant par la fente des paupières rapprochées un blanc brouillé de filaments rouges, et ses lèvres plissées comme l'ouverture d'une bourse dont on a serré le cordon étaient tirées sur un côté. Un visage à faire peur — ou, plutôt, à faire rire les enfants malicieux. Mais on se gardait bien de rire — sachant que les vieilles personnes, étant plus ou moins sorcières, peuvent figer dans une expression grotesque le visage de quiconque aurait osé les railler.

J'appris aussitôt que Mamzelle Négresse venait de Rivière-Pilote. Moi, je n'étais jamais allé au-delà des champs de cannes à sucre qui ceinturaient le bourg.

C'était un pays du côté du soleil levant, et je savais que les meilleures ignames, entre autres celles qu'on mangeait à Noël avec du ragoût de porc et des pois d'Angola, les oranges les plus succulentes et les plus belles mandarines qu'on trouvait sur le marché le dimanche, en provenaient.

La case de Mamzelle Négresse était la plus basse de toutes. Il n'y avait qu'une fenêtre à peine plus grande que l'échancrure que certaines personnes pratiquaient au bas de leur porte afin que leurs poules puissent passer pour aller pondre sous le lit ; et quoiqu'elle fût toujours ouverte, il y entrait si peu de jour qu'il n'y faisait guère plus clair que dans un terrier.

Avec son œil crevé, sa bouche de travers, son accoutrement douteux et sa manie de parler ou de marcher en lançant des jets de salive à droite, à gauche, Mamzelle Négresse exerçait sur moi autant de répulsion que d'attraction. Comme si elle représentait à mes yeux le danger et l'avantage de fréquenter une sorcière.

Contrairement à toutes les femmes de Calebassier, Mamzelle Négresse ne travaillait ni à la plantation ni à l'usine. Sa chambre était encombrée de vieux objets en cuivre dont elle faisait commerce : robinets, bouts de tuyaux, pièces de machines. Les ouvriers les ramassaient autour de l'usine, parfois les chapardaient dans les ateliers ou les entrepôts et les lui apportaient. Elle les pesait, les emballait dans de grands paniers, et lorsqu'elle en avait une certaine quantité, allait les vendre à la ville.

A son retour elle réglait ses fournisseurs. Si bien que l'antre de Mamzelle Négresse attirait à toute heure du jour et le soir une succession de visiteurs mystérieux, le plus souvent chargés de paquets de toute forme et de toute grosseur. On y manipulait constamment de l'argent, tandis que dans les autres cases on n'entendait sonner la bourse que le samedi soir ou le dimanche. Aussi Mamzelle Négresse n'achetait-elle jamais à crédit dans les épiceries.

Parfois elle avait disparu pendant une semaine, et ma mère disait :

— Elle est sans doute allée mettre des rames à ses ignames, ou récolter ses haricots.

Elle prétendait, en effet, avoir une belle terre cultivée au Morne Vent, et elle en revenait chaque fois avec de grands paniers de fruits et de légumes dont elle cédait une partie, en faisant bon poids, aux locataires de Calebassier. En l'occurrence ma mère était particulièrement favorisée.

— Votre petit est si rendant de services, lui disait Mamzelle Négresse, pour justifier sa largesse.

C'est au retour d'un de ces voyages que Mamzelle Négresse révéla qu'elle était une parente de ma mère. Des conversations qu'elle avait eues avec certaines personnes du Morne Vent serait résulté que ma grand-mère maternelle, du reste, née à Rivière-Pilote, était la petite cousine de sa mère.

— C'est Témistocle — qui donc est mon petit neveu — qui m'a expliqué cela.

Lequel Témistocle était un oncle par alliance de ma mère ; car il avait épousé une certaine Salomone qui était la cousine germaine de Mamzelle Négresse — ou quelque chose d'approchant.

Naturellement, ni ma mère, ni moi ne connaissions tout ce monde-là ; et ce fut pour Mamzelle Négresse l'occasion de nous faire l'éloge de Témistocle surtout, qui était, paraît-il, beau parleur et un grand séducteur.

— Si ce genre de cornes pouvait pousser, la pauvre Salomone en aurait déjà plus que de cheveux sur la tête ; c'est vous dire !

Et fervent du combat de coqs, et encore plus vaillant danseur de laguia ; bien que, pour ce qui est de lutter et de danser, les gens du canton de St Esprit — dont fait partie notre bourg — soient rarement égalés.

Ainsi, Mamzelle Négresse était la tante de ma mère, aussi bien que la mienne. Tante Négresse ! Négresse n'était, certes, pas son vrai nom. Il y avait, en effet, bien des femmes qui à cause de la nuance plus ou moins douce de leur peau s'appelaient Mamzelle Chabine, Mamzelle Capresse, Mamzelle Coolie ; mais c'était la première fois que j'entendais nommer allègrement une femme noire Négresse. Tante Négresse ! Mon esprit et mon cœur se refusaient à adopter cette tante de rencontre, cette parente attardée.

Et puis, dire « Tante Négresse », affecter l'attitude d'un neveu à l'égard de Mamzelle Négresse, c'était un peu trahir ma mère qui avait été jusque-là le seul objet de mon affection.

Il fallut l'arrivée de Joséphine.

Mamzelle Négresse l'avait annoncée depuis longtemps, mais elle tardait à venir, comme pour avoir le temps de mieux prendre forme dans mon imagination.

— Tout le monde m'en fait compliment, disait Mamzelle Négresse. C'est pas pour me vanter, mais c'est une jeune fille, je vous assure, telle qu'il faut se lever de bonne heure pour en rencontrer une pareille. Jolie, élégante, bien élevée... L'autre jour mon cousin Alcide me racontait que dans un bal au bouquet qu'on avait donné chez Gertal, les jeunes gens étaient tellement intimidés qu'ils n'osaient pas l'inviter à danser : ils ne sont pas habitués de voir des jeunes filles comme ça, là-haut. Oui, vraiment, à la voir, on croirait aussitôt une personne de l'Autre-Pays.

Mamzelle Négresse (je ne parvenais réellement pas encore à penser ni à dire : « Tante ») me répétait si souvent : « Ta cousine Joséphine », qu'elle m'avait imposé sa fille sous les traits d'une princesse lointaine, enfant de l'amour et de la vanité ; un peu comme une sorte d'orchidée épanouie dans un sous-bois frais et odorant, où la lumière filtrée à travers des fougères arborescentes changeait en un pur diamant chaque goutte de rosée, et qui allait nous être donnée, et que j'aimerais.

De fait, elle arriva.

Elle arriva un après-midi par l'autocar. Or, Mamzelle Négresse ne l'avait pas spécialement annoncée. Peut-être Mamzelle Négresse n'avait-elle même pas su que Joséphine arriverait ce jour-là pour de bon. Ce fut une surprise. En tout cas, je ne saurais dire combien j'en fus déçu.

Je la trouvai devant la porte, Joséphine, à ma sortie de l'école. En la voyant j'eus aussitôt la certitude que c'était elle, et pourtant Dieu sait qu'elle n'avait aucune apparence de tout ce que sa mère avait dit, ni rien d'approchant le portrait que j'en avais fait dans ma tête. Ma déception fut telle que tout d'un coup je lui en voulus dans un accès de révolte sourde.

C'était une espèce de petite boulotte à la peau couleur de l'argile dont on fait les canaris et les jarres à la poterie des Trois-Ilets. Le type de ce qu'on appelle une négresse-rouge-tête-raide.

Elle avait les cheveux courts et crépus, alors que les propos de sa mère m'avaient suggéré une Joséphine au teint ambré, à la peau soyeuse, aux cheveux pareils à un ruisseau de jais en fusion. Je ne pouvais pas imaginer non plus qu'elle s'exprimât autrement qu'en français, et peut-être avais-je moi-même préparé quelques phrases pour elle. J'avais cru — je l'avais souhaité — que Joséphine produirait sur moi une sensation encore plus forte que celle que je gardais de la jeune institutrice qui m'avait fait la classe durant la maladie de ma vieille bonne maîtresse d'école, Mademoiselle Eudarie, et qui était grasse, jolie, avait une voix douce et nous avait appris presque en dansant la chanson qui pour moi était sa chanson.

Beau gars qui danses
la la lalala !
Quand tu t'élances
la la lalala !
....

Mais je trouvai Joséphine, là, qui mangeait un mangot avec ses dix doigts, comme n'importe qui, et nus pieds (je remarquai aussitôt qu'elle avait les talons saillants et le coup de pied très fort), et en voyant que je la regardais avec stupeur, elle me demanda en patois, les sourcils froncés et la lèvre retroussée :

— Qu'est-ce que tu veux ?

Ciel ! Joséphine avait la voix la plus rude que j'eusse entendu sortir de la gorge d'une jeune personne. Et cet accent cahoteux, heurté de ceux que nous autres villageois appelons « les habitants », et qui fait que leur parler n'a pas nos inflexions ! J'eus aussitôt envie de fuir cette jeune ogresse ; mais Mamzelle Négresse qui était accourue fit les présentations, nous consacrant cousin et cousine. Alors Joséphine m'offrit un mangot. Mais je ne pouvais pas le manger devant elle. Je ne pouvais plus rester à côté d'elle ; j'avais toujours envie de me sauver. Sans qu'elle fît plus attention à moi, je disparus.

N'empêche que dès la semaine qui suivit, Joséphine et moi, nous étions déjà de bons camarades. Bien qu'elle dût être mon aînée de huit ou neuf ans, Joséphine n'était qu'une petite campagnarde, sotte et gâtée, avec à peine plus de maturité d'esprit que moi. Et pour cause ; je savais lire et écrire, et même je commençais déjà à composer, selon l'expression de ma mère (autrement dit, j'esquissais des histoires de mon propre cru), tandis que Joséphine était illettrée, ou, plus exactement, elle était tout juste lettrée, comme on dit, sachant lire et tracer quelques lettres de l'alphabet.

Elle m'expliqua, en effet, qu'elle avait été à l'école seulement une année ou deux.

— L'école était loin de chez nous.

Et sa mère ne voulait pas qu'elle fît le chemin à pied avec tous les garçons qui, avant l'âge, culbutaient des filles sur les talus ou dans les champs de canne. D'ailleurs, il n'y avait guère que les garçons qui y allaient, à ces écoles, à l'exception de quelques fillettes des plus effrontées. Aussi, dès qu'elle eut commencé à être « formée », sa mère la retira-t-elle de l'école.

— Je connais a, e, i, o ; et celle qui a un nom grossier. Oui, q. Et celle qui ressemble à une robe très décolletée : M majuscule.

Mais Joséphine ne tarda pas à exploiter l'avantage que j'avais sur elle de savoir lire couramment et écrire.

Elle avait une collection de journaux de mode, qui faisait sa fierté ; et c'est moi qui lisais pour elle la description accompagnant les différents modèles de robes. D'autre part, l'idée lui était venue d'acheter un gros cahier et de m'y faire copier des chansons. Elle y tenait tellement que ce « cahier de romances » devait représenter sans doute pour elle une sorte de garantie de culture — tout comme chanter souvent était, chez une jeune fille, l'indice d'une éducation raffinée.

Or, Joséphine chantait faux, et de plus, ne savait pas une chanson, pas un refrain en entier.

Il va sans dire qu'elle ne prétendait chanter qu'en français et sous-estimait les airs qui venaient des plantations.

Son répertoire se composait, par conséquent, de bribes de refains qu'elle avait accrochées çà et là, et dont elle massacrait aussi bien les airs que les paroles.

Les premières chansons, je les écrivis sous la dictée de Joséphine :

Ne rendez pas les hommes fous
Leur pauvre cœur est un joujou.

Et puis :

C'est la passagère
Insouciante et légère.

Il y avait des mots que je n'avais jamais vus, jamais entendus, et dont je ne parvenais même pas à deviner le sens. Je me rappelle en particulier cette chanson en anglais qu'elle avait toujours sur les lèvres — c'est elle qui me dit que c'était de l'anglais, car pour moi cela pourrait être aussi bien du zoulou.

Isti longoué pitipéra oué.

Mais la plupart des chansons étaient sur des copies qu'elle glanait à droite, à gauche, au hasard de ses courses au bourg, et que j'avais pour tâche de reproduire sur le cahier. Cette occupation ne me déplaisait guère, et j'en étais peut-être même assez entiché jusqu'au jour où ma mère me dit :

— Faudrait pas que Joséphine t'agrandisse trop l'esprit avec toutes ses romances ; car tu es encore jeune, tu sais !

Autant Mamzelle Négresse se souciait peu de changer sa vieille robe, autant la principale activité de Joséphine semblait être d'arborer des robes neuves — et c'était sa mère qui les lui choisissait.

Mamzelle Négresse n'allait pas à Fort-de-France qu'elle ne rapportât une ou plusieurs coupes d'étoffe à Joséphine ; sans compter les chapeaux, les bas de soie, les escarpins de toute couleur, à talons hauts, les huiles pour les cheveux, et maints autres colifichets. De sorte que toute la semaine Joséphine avait de quoi s'occuper à faire des essayages chez Mamzelle Charlotte.

Mamzelle Charlotte était la couturière dont le renom en imposait le plus. Peut-être son habileté dépassait-elle réellement celle de Madame Conor, de Mamzelle Edouarzine, et de toutes ces femmes qui jouissaient du prestige de posséder une machine à coudre.

Quant à moi, je me souviens que, cette Mamzelle Charlotte, ma mère ne voulait pas entendre parler d'elle. Elle était, paraît-il, trop « aristocrate » ; elle faisait accroire, du seul fait qu'elle était entretenue par un petit Blanc qui gérait une plantation des environs. Elle devait sans doute aussi demander plus cher que les autres couturières.

Elle avait une petite fille aux yeux gris-vert-bleu qu'elle s'acharnait à faire parler français (à cause de la couleur claire de la peau qui, disait-on, n'allait pas avec le patois), et qu'elle privait même de la fréquentation des autres enfants, afin qu'elle ne fût pas contaminée par leur patois.

Elle-même, Mamzelle Charlotte, en parlant patois, chevillait ses phrases de mots français, et elle cousait en sussurant au cliquetis de sa machine des romances qu'elle semblait être la seule à connaître, des romances rares en tout cas.

Et Joséphine d'adopter le répertoire de Mamzelle Charlotte qui, en plus des journaux de mode, lui prêtait un gros cahier où il y avait quantité de choses passionnantes sur l'amour : des romances, des proverbes, des phrases de galanterie, des modèles de lettres, le langage des fleurs. J'en copiais même que j'apportais à l'école, à l'émerveillement de mes camarades aux yeux de qui j'avais fait, jusque-là, figure de benêt.

Pour Joséphine, Mamzelle Charlotte était une grande dame sur qui elle s'appliquait à régler ses manières. Et avec quelle fierté, elle prononçait : « Mamzelle Charlotte m'a dit », ou bien : « Il faudra que je demande à Mamzelle Charlotte » !

Le premier avantage que le bourg offrait à Joséphine était la messe du dimanche, et partant, l'occasion d'exhiber une robe neuve ce jour-là.

J'allais à la messe parce que ma mère m'y obligeait ; mais ce n'était pas toujours sans appréhension, car je savais rarement mon catéchisme. Je n'aimais pas le catéchisme ; il y était trop question, du moins il me semble, de péché et d'enfer. Quand la catéchiste affirmait que les larcins que nous pouvions commettre, nos petites ruses, et nos « menteries » par exemple, étaient de nature à nous condamner à rôtir sans fin dans des flammes inextinguibles, je me demandais si elle voulait nous faire peur ou non, car je doutais beaucoup que Dieu fût à ce point susceptible, irritable et mesquin.

Et puis je trouvais la catéchiste elle-même très injuste de nous accuser, nous les enfants qui ne faisions du mal à personne, d'être, par nos péchés, la cause de la crucifixion du Christ.

Vraiment, à cause de l'interrogation du catéchisme qui s'ensuivait, la messe était mon cauchemar !

Mais c'était l'apothéose de Joséphine.

Evidemment, son départ pour la messe ne passait jamais inaperçu. Mais elle affectait la plus froide indifférence à l'admiration du voisinage, laquelle, en somme, lui était acquise.

Aller à la messe, c'était pour elle partir à la conquête de la petite église bourrée de tout ce que le village comptait de notables, d'élégantes, de beaux jeunes gens ; et chaque robe neuve qu'elle arborait devait produire l'effet d'une arme nouvelle.

C'était Mamzelle Négresse qui alertait le voisinage au moment du départ.

— Bastianise, viens vite, viens voir la beauté qui s'en va !

Ma mère et les autres voisines accouraient sur le devant de leurs portes pour voir Joséphine passer comme un cheval qui parade au son de la fanfare.

— Reste-là un peu ! lui disait Mamzelle Négresse.

— Je suis en retard : la messe est déjà tintée, grommelait Joséphine.

Car Joséphine, une fois habillée pour la messe, ne tenait plus en place. Parfois sa mère courait derrière elle en criant :

— Laisse-moi t'enlever ce fil qui pend !

Mais elle ralentissait à peine sur quelques mètres, et c'était une course de vitesse qui semblait se disputer.

Et puis, je n'en revenais pas de voir combien elle paraissait tout autre dès qu'elle commençait à s'habiller. Son souffle devenait plus court, elle parlait comme si elle luttait contre une force intérieure qui lui pressurait le cœur. Elle s'énervait à chaque geste, à chaque pièce d'habillement, rudoyait sa mère qui lui tenait lieu d'habilleuse soumise et dévouée.

Malgré tous les essayages qu'elle avait faits dans la semaine, il arrivait presque toujours que le corsage ou la combinaison, ou la ceinture, ne tombât pas à son goût. Alors il fallait recourir aux épingles, à l'aiguille et au fil. Ou bien elle n'arrivait pas à concilier la façon dont elle entendait peigner ses cheveux avec la forme de son nouveau chapeau. Oh ! ces chapeaux Charleston qui ressemblaient à des lanternes vénitiennes !

Je n'avais pas une admiration aveugle pour ma cousine Joséphine, mais je l'aimais tout de même assez pour ne pas la dénigrer systématiquement.

Or, Joséphine, attifée le dimanche, produisait sur moi le même effet que lorsque je l'entendais chanter. Son mauvais goût, hypertrophié par sa vanité, m'apitoyait et m'irritait en même temps. Si bien que je me trouvais partagé entre l'envie de la supplier de ne pas s'affubler de la sorte et le cynisme par quoi je l'eusse exhortée à être encore plus ridicule.

Je crois que Joséphine se rendait bien compte de son peu de succès. Mais ce genre d'échec était plutôt de nature à stimuler son orgueil ; et sa mère parfois maugréait :

— Les gens d'ici sont sauvages comme l'herbe de Guinée ; ils ne savent pas ce que c'est que la mode. Rien !

Ah ! Si Joséphine habitait une grande ville !

***

Ce fut sans doute sur les instances de Mamzelle Négresse que Samuel vint à Calebassier. Elle avait dû lui dire :

— J'ai une fille, une jolie capresse, elle aime les chansons et la danse, et c'est la plus élégante du pays.

Et Samuel monta un soir avec sa guitare.

Samuel, un grand mulâtre plutôt mince, au regard vif, aux cheveux frisés et luisants. Une moustache finement étirée en bordure de sa lèvre faisait sans doute l'objet de tous ses soins ; et comme son sourire découvrait trois ou quatre dents en or, son visage scintillait constamment d'un bouquet de lumières chaudes.

Samuel avait une démarche preste et souple, toujours en instance de se muer en danse. En tout cas, rien qu'à le voir marcher on savait qu'il dansait bien. Aucun homme dans le village n'avait l'allure, ni les belles manières, ni le parler de Samuel.

Cela se voyait qu'il était de la ville, et que surtout il avait voyagé, qu'il avait été dans les pays de l'autre côté de la mer, où l'on parle anglais ou espagnol, où l'on s'habille de complets faits dans des étoffes que l'on ne trouve pas ici ; où l'or est abondant et bon marché : Georgetown, Cayenne, Maracaïbo, Caracas.

— Calao ! disait-il.

Etait-ce une exclamation de joie, ou un juron ? Il le jetait à tout propos. Joséphine aussi de temps en temps, lorsqu'elle s'énervait ou s'émerveillait, faisait :

— Calao !

Il n'était pas jusqu'à Mamzelle Négresse qui, chaque fois qu'elle avait craché, ne proférait :

— Calao !

Samuel était le nouveau chauffeur de l'autocar qui reliait le bourg à la ville, en passant par Ducos et le Lamentin. Il avait remplacé Passio qui était à l'hôpital, des suites d'un accident. Cela s'était passé comme si, pendant qu'il tournait la manivelle, le diable qui fait ronfler le moteur lui avait envoyé un coup de corne lui brisant l'os de l'épaule.

Depuis, Passio était à l'hôpital, et Samuel conduisait le grand autocar : *Etoile du Sud* (en lettres rouges sur la carrosserie en bois polychrome).

On aimait bèaucoup Passio ; il était plaisant, obligeant, bon enfant. Un pain doux, au dire des braves gens.

Mais Samuel, c'était comme une musique qui plaît. C'était la vie éclatée au soleil sous une poussée de sève virile. A lui seul Samuel faisait l'effet de tout un jazz-band !

Il aimait à rire, et il était boute-en-train, et on aimait le voir rire, et on l'incitait à la plaisanterie.

Je me rappelle qu'un jour, le voyant approcher, un vieillard, M. Alténor, s'arrêta en admiration et s'exclama :

— Dieu ! que la jeunesse est belle !

Samuel venait à Calebassier tous les soirs après dîner. J'allais l'attendre chez Mamzelle Négresse. Tout le quartier l'attendait. Pourtant Samuel n'était jamais allé, que je sache, chez personne d'autre que Mamzelle Négresse. N'empêche que tout le pâté de cases partageait la joie de sa visite. On ne le voyait pas toujours venir parce qu'il arrivait souvent à la nuit noire. Mais on savait que c'était après dîner et qu'il ne tardait guère.

Alors on se taisait par intervalles pour écouter. Car Samuel apportait toujours sa guitare, et sitôt arrivé, il se mettait à en jouer :

— Pour faire sa rentrée, disait ma mère.

Les conversations cessaient, et même les femmes avaient vite fait de trouver un prétexte pour aller chez Mamzelle Négresse — pour demander ou pour offrir un petit service.

— Entrez donc, voisine, disait Mamzelle Négresse.

— Je ne voudrais pas vous déranger, voisine, l'heure est indue, et vous êtes occupée...

On restait dehors, devant la porte ouverte, à écouter la belle musique que jouait Samuel assis sur une chaise près de la table, avec la lampe à pétrole entre elle et Joséphine qui, elle, se tenait droite sur le divan, avec un sourire comme celui d'un portrait.

La musique de Samuel n'était pas comme celle que jouaient les accordéonistes du pays, le samedi soir, pour faire danser. C'était comme une douzaine de voix étrangères parlant de choses qu'on n'avait jamais vues, les faisant apparaître dans votre tête : une musique qui vous invitait à fermer les yeux; et vous vous sentiez dans le cœur un oiseau chatoyant qui voudrait s'envoler.

Puis la musique cessait. Elle ne recommençait plus. Plus rien ne venait troubler le calme qui s'ensuivait. Mamzelle Négresse était allée se coucher derrière le rideau de toile à sac placardé avec les feuilles de catalogues illustrés qui divisait la pièce, et Samuel avait déposé sa guitare pour aller s'asseoir sur le divan à côté de Joséphine.

Ma mère qui me permettait d'aller voir jouer Samuel m'avait toujours recommandé de prendre congé sitôt que la musique était terminée.

Ce que je faisais avec peu de promptitude, espérant que, peut-être, Samuel reprendrait sa guitare — surtout lorsqu'il avait simplement posé celle-ci sur la table au lieu de la remettre dans sa gaine de toile brodée.

Donc, je restais là, un moment, avec l'air d'un enfant turbulent qu'on aurait contraint de se tenir comme un enfant sage. Pendant ce temps, Joséphine roulait sa tête sur les épaules de Samuel qui, l'ayant enlacée, lui touchait le bras avec des spasmes, comme il faisait monter et descendre sa main gauche en pinçant les cordes de la guitare.

Ils ne se regardaient pas, tous les deux. Ils avaient les paupières baissées. Ils ne se parlaient pas, à vrai dire, mais échangeaient d'inintelligibles gloussottements entrecoupés de halètements, de frémissements, de soupirs.

Puis, soit que ma mère me hélât, soit que je sentisse confusément que ma présence devenait gênante — puisque j'étais moi-même gêné — je me glissais vers la porte, tout doucement, pour ne pas les tirer de l'état de somnolence ou de transe dans lequel ils semblaient se trouver.

Joséphine ne me parlait presque jamais de Samuel. Pourtant elle était aussi visiblement sous l'effet des sentiments qu'il éveillait en elle que si elle eût bu un verre d'alcool. Le zèle qu'elle déployait à faire le ménage, son application à natter ou à partager en bandeaux ses courts cheveux crépus, la robe qu'elle mettait à six heures du soir, la recette qu'elle pratiquait de se frotter le visage, les bras et les mollets avec la pulpe d'un citron vert étaient autant d'attentions pour Samuel et qui ne m'échappaient guère.

Elle avait de même un peu délaissé les chansons de son cahier et ne fredonnait que les airs que jouait Samuel, en affectant une voix nasillarde pour imiter le timbre de la guitare.

Quant à moi, je me considérais par rapport aux enfants comme un gosse qui avait le privilège de frayer avec un être extraordinaire, tels ceux dont beaucoup d'enfants avaient seulement entendu parler.

Samuel était un personnage fantastique, et j'étais le seul enfant qui pût le rencontrer dans la rue, lui serrer la main, lui parler. Pourtant je n'en soufflais pas un mot à mes camarades.

C'était un peu comme un secret, ou, peut-être, j'appréhendais qu'ils ne me crussent point.

Mais je n'en pensais pas moins à lui toute la journée. Il était comme une odeur que je portais avec moi, et j'étais aussi intrigué par le genre d'intérêt qu'il accordait à Joséphine, que séduit par tout ce qu'il reflétait de particulier par rapport aux gens que j'avais côtoyés jusque-là.

Par des bribes de conversations captées çà et là, aussi bien que par mon intuition, je finis par établir que Samuel aimait Joséphine à la manière dont un Monsieur aime une fille de bonne famille, et que probablement ils allaient se marier. Autrement dit, au lieu d'aller un beau jour habiter ensemble une case, comme presque tous ceux qui travaillaient aux plantations ou à l'Usine, ils seraient les héros d'une cérémonie qui réunirait des hommes vêtus de noir, des femmes en robe de soie ; Joséphine serait métamorphosée par un voile en une émouvante mariée. Mamzelle Négresse aurait une belle robe et des souliers ; et ensuite ils iraient habiter au pays de Samuel une jolie maison où il y aurait des rideaux aux fenêtres, des meubles vernis et des miroirs.

Je ne savais pas si la représentation que je me faisais de ce futur mariage coïncidait avec le rêve et les vœux de Joséphine ; en tout cas, je ne lui ménageais rien de ce qu'une fée eût prodigué à sa pupille.

Samuel était toujours assidu à Calebassier. Le dimanche, l'*Etoile du Sud* ne voyageant pas, il venait plus tôt, en fin d'après-midi, vêtu d'une veste de lainage à carreaux, d'un pantalon de tussor, de chaussures blanc et marron, et coiffé d'une casquette qui accusait la largeur et la puissance de sa nuque plate. Souvent il était accompagné de Clément, son camarade qui faisait fonction de contrôleur dans l'autocar. Un petit trapu qui avait tiré au rasoir une fine raie au milieu de ses courts cheveux laineux.

La présence de ces distingués étrangers donnait un air de maison bourgeoise à la sordide case de Mamzelle Négresse.

Cependant, il semblait que je me faisais du souci pour des détails qui n'avaient jamais effleuré l'esprit de Joséphine.

Où se feraient les noces ?

D'autre part, Mamzelle Négresse disait que Samuel était d'une famille de gens aisés et instruits. Aux intonations de Samuel, même lorsqu'il parlait créole, on voyait qu'il avait accoutumé de parler français.

Son père était adjoint au Maire, d'une commune dans le Nord, sa sœur aînée était modiste à Fort-de-France, et il avait une jeune sœur qui allait devenir institutrice.

Or, Joséphine avait beau user d'artifices vestimentaires et, à défaut de pouvoir entretenir la conversation, servir punch sur limonade, chaque fois qu'elle ouvrait la bouche, ne fût-ce que pour dire oui ou non, elle trahissait son ignorance. Elle s'engageait hardiment dans une phrase française, mais ne s'en sortait qu'en prenant un biais en patois, ajoutant pour se couvrir : « Comme on dit chez nous. »

Vraiment, lorsque, au lieu de céder à la générosité de mon imagination, je réfléchissais tant soit peu, le mariage de Joséphine et de Samuel me paraissait une histoire qu'on pouvait avoir plaisir à entendre ou à rencontrer, à la seule condition de ne pas y croire.

Mais dans mon impatience et mon anxiété, ne mettais-je pas la charrue devant les bœufs ? On n'en était pas encore au mariage, et je ne savais même pas que pour y arriver, il fallait d'abord que la demande ait été faite.

Joséphine, qui jusque-là ne m'avait pas fait de confidences au sujet de Samuel, estimant sans doute que j'étais trop jeune pour y comprendre quelque chose, me dit un jour :

— La semaine prochaine on va venir faire la demande.

— La demande ?

— Oui, la demande de ma main.

Et de m'expliquer qu'il doit en être ainsi lorsqu'il s'agit d'une jeune fille de famille — comme c'était son cas ; que Samuel demanderait d'abord sa main seulement afin d'y passer une bague, et qu'ensuite se ferait le mariage.

Donc le père de Samuel allait venir pour demander la main de Joséphine.

— Samedi après samedi prochain.

Un mélange de contentement et d'appréhension m'envahit aussitôt, comme le jour où la maîtresse d'école avait annoncé la visite de Monsieur l'Inspecteur, par exemple.

Le père de Samuel viendrait de Macouba où il était Capitaine au grand cabotage en retraite et Adjoint au Maire. Une importante personnalité, et tout un voyage.

Mamzelle Négresse eut avec ma mère une conversation grave et confidentielle.

— Alors ma chère, conclut-elle, je compte sur toi pour la cuisine.

Ma mère avait, en effet, une réputation de fine cuisinière. Elle avait servi chez les Blancs lorsqu'elle était jeune — situation très appréciable pour une négresse des plantations. Elle savait préparer des repas de fête ; elle savait mettre le couvert, dresser une table, elle savait présenter les plats. Elle, Mamzelle Négresse, elle irait au Morne Vent, chez sa sœur Norbéline, celle qui a épousé le cousin du Maire de Vauclin, et rapporterait de la belle vaisselle de porcelaine, de l'argenterie et du linge de table brodé.

— Tout se passera très bien, assura ma mère. Dieu est grand.

— Et il me voit, ajouta Mamzelle Négresse.

— Et il est puissant, renchérit ma mère.

— Et j'ai bon espoir, dit Mamzelle Négresse, car si je ne vais pas à la messe, c'est plutôt pour ne pas augmenter la foule de celles qui toute la semaine ne savent même pas s'il existe un Dieu, et qui, le dimanche... Moi, c'est quand tout le monde l'abandonne que je vais voir mon Dieu.

Elle ne se faisait pas faute, en effet, d'aller à l'église le vendredi à trois heures de l'après-midi pour allumer des bougies et des lumignons devant les statues des Saints en qui elle croyait le plus, et de leur distribuer des sous. Et il n'était pas alors jusqu'à ceux qu'elle vénérait le moins qui ne bénéficiassent de ses largesses, tel, par exemple, St Eloi qui, à son avis, possède un cœur de pierre et qu'il faut prier jusqu'à l'épuisement pour obtenir la moindre grâce. Sans compter les offrandes d'huile, de bougies et de pièces de monnaie qu'elle faisait à tous les petits sanctuaires qui s'érigent sur un pieu aux croisées des chemins.

Pourtant le bruit avait couru déjà que ce n'était à aucun Saint du Ciel, mais à des sorciers des mornes que Mamzelle Négresse s'était adressée pour que Samuel s'entichât de Joséphine...

Malgré les preuves qu'elle pouvait fournir de sa dévotion, elle passait pour être un peu sorcière. D'ailleurs, elle ne s'en défendait point, ne fût-ce peut-être que pour bénéficier de la crainte et du respect attachés à une telle réputation.

Toujours est-il que la venue prochaine du père de Samuel était comme une bataille qui se préparait et, par la force des choses, je me trouvais dans le camp Négresse-Joséphine.

J'étais résolument pour le mariage de Joséphine et de Samuel. Dès lors, bien que je fusse incapable de jouer un rôle quelconque dans cette affaire, je regardais Joséphine un peu comme ma protégée et Samuel comme un ami.

Maintenant, si elle venait à douter de son destin, j'étais prêt à lui remonter le moral.

Mais pourquoi aurait-elle eu un doute ? N'étais-je pas le seul à couver quelque anxiété ?

L'événement qui se préparait avait provoqué une fièvre qui s'était étendue à tout le Haut Morne. Pendant toute la semaine qui le précéda, Joséphine et sa mère lavèrent tout ce qui était lavable dans la case, et lorsqu'elles se mirent à sarcler les mauvaises herbes pour nettoyer l'entrée de leur case, chacun s'avisa d'en faire autant. On eût dit les préparatifs pour quelque fête du village. Naturellement, je ne fus pas sans participer aux corvées. Joséphine m'avait chargé de découper des figurines de mode dans une vieille revue que Mamzelle Charlotte lui avait donnée pour les coller ensuite sur l'écran de toile de jute qui séparait en deux l'intérieur de la case.

Mamzelle Négresse s'absenta pendant deux jours, comme elle l'avait annoncé à ma mère, et revint chargée de tant de choses qu'on n'eût pas cru qu'elle les avait portées toutes dans un seul panier de bambou, sur sa tête : des assiettes et des plats, des fouchettes et des cuillères en argent, des ignames, des verres à pied, des bouteilles de liqueur, des nappes et des serviettes, des œufs, des casseroles, des haricots secs, un gros coq et deux poules — sans compter des vêtements et tout un assortiment d'épices.

Ce samedi-là, ma mère n'était pas allée à la plantation. Elle avait prié une voisine de toucher sa paie pour elle. Elle était ravie de s'adonner à son activité de prédilection : cuisiner ; et elle semblait le faire avec un sentiment du devoir, sinon avec la conscience de se dévouer pour une bonne cause.

A mon retour de l'école (ce soir-là je ne musardai point), à défaut de me donner un costume neuf, elle me fit laver soigneusement mon visage, mes mains et mes pieds — de façon à être présentable.

D'ailleurs, spontanément, tous les habitants de Calebassier avaient fait un brin de toilette, arborant qui une chemise ou un pantalon propres, qui un madras presque neuf.

Une odeur de fricassée avait chassé l'air insipide de Calebassier.

Mamzelle Négresse portait une ample tunique blanche en coton brodé. Un tout autre jour elle m'eût paru comme une diablesse endimanchée : mais en la circonstance, toute mon indulgence lui était acquise : elle était belle. Mamzelle Charlotte avait fait pour Joséphine une robe en crèpe Ophélia cerise — d'une mode tout à fait nouvelle, sans doute, car à la façon dont elle comprimait les chairs de Joséphine, c'était la première que je voyais de ce genre.

Au lieu de natter ses courts cheveux, Joséphine les avait contraints, à coups de brosse et à grand renfort de vaseline, à se courber vers sa nuque, et elle s'était couronnée d'un ruban de velours de la même teinte que la robe.

Elle étincelait de tous les bijoux que sa mère avait recueillis en emprunt, et je la trouvais en bonne forme pour l'épreuve. Je lui eusse reproché seulement d'être un peu trop poudrée et d'avoir avec un rouge trop clair avivé ses lèvres charnues d'une façon trop impudique. Elle s'était inspirée, dirait-on, d'une de ces cartes postales représentant une tête de femme inscrite dans un cœur ou un fer à cheval, et qu'elle avait épinglées de chaque côté de l'étagère à vaisselle.

En vérité, ce soir-là quelqu'un se fût moqué de ma cousine que je l'aurais pris férocement à partie.

Donc, j'étais rentré de l'école ; Joséphine, parée, était dans la case pour se soustraire aux regards des passants qui en oubliaient ce qu'ils allaient faire pour rester à la regarder ; Mamzelle Négresse faisait le va-et-vient entre chez elle et la case de ma mère, un peu gênée dans son allure par ses chaussures à mi-talons et l'ampleur de sa gaule blanche.

Ma mère avait installé une batterie de trois réchauds en bidon à pétrole devant sa case : un réchaud pour le potage aux abats de mouton, le pâté-en-pot, un pour les côtes de mouton pannées, et un pour la fricassée de volaille. Avec son tablier blanc, elle se donnait un air plus digne, émergeant de sa condition de négresse des plantations pour vivre, l'espace de quelques heures, sa vocation de cuisinière. Pendant quelques heures elle était pour ainsi dire en train de prouver sa supériorité sur toutes les femmes du bourg qui, pour ce qui est de faire la cuisine, étaient comme des pousses d'herbe à ses pieds. Elle était transfigurée.

Moi, je m'étais posté dans le sentier, et je guettais. Je voulais être celui qui les verrait arriver, qui les annoncerait. Ils devaient être trois : le père, Samuel et Clément.

Le père, tel que je me le présentais, était de grande taille : si grand, si distingué, si important, que son regard ne tomberait pas sur moi ; et le timide bonjour que je lui dirais ne parviendrait pas jusqu'à lui. Il avait une barbe grise comme M. Alténor, des lorgnons comme M. Benjamin, l'instituteur en retraite, un habit noir comme celui qu'endossait M. le Maire, le 14 Juillet. Mais je l'aurais plutôt aimé en casquette de capitaine qu'en chapeau haut de forme.

Il marchait droit, tournant la tête à droite, à gauche, tous les deux, trois pas.

Le soir venait vite au Haut Morne, à cause des grands arbres à larges feuilles. Déjà le sentier, tel un serpent en fuite, se perdait dans les herbes.

D'ordinaire, l'*Etoile du Sud* arrivait peu après la sortie de l'école. Samuel allait prendre l'apéritif et dîner chez Apagit (c'est là que prenaient leurs repas les étrangers et les fonctionnaires célibataires), puis il montait à Calebassier. Parfois avant de monter, il restait faire une partie de billard avec Clément. Parfois il montait de bonne heure et dînait chez Mamzelle Négresse.

De sorte que, en réalité, il n'était pas en retard ; mais j'estimais que pour la circonstance il aurait dû être déjà arrivé. Je ne sais pas si l'impatience de Joséphine était égale à la mienne. Peut-être, à cause d'elle, étais-je doublement impatient.

Tout à coup, des silhouettes parurent au bas du sentier où elles venaient prendre forme ; et il me sembla reconnaître la voix de Samuel. Je détalai vers la case de Mamzelle Négresse.

— Ça y est ! Les voici ! criai-je alors à Joséphine qui était debout, encadrée dans la porte.

Et sans freiner mon élan je continuais de case en case, jetant à chaque porte :

— Les voici ! Ça y est !

Haletant, la tête surchauffée de joie, je revins devant la case de Mamzelle Négresse et j'attendis.

On eût cru que tout le quartier avait cessé de respirer. Sur le seuil des portes, ou dissimulé à l'encoignure des cases, tout le monde était à l'affût du cortège. Quant à moi, je m'efforçais de tendre l'oreille pour écouter s'approcher les pas et les voix, pour distinguer surtout la voix du père de Samuel.

Mon sang battait si fort à mes tempes que j'en étais assourdi.

Joséphine s'était dépêchée d'allumer la lampe. Une belle lampe à panse en verre bleu pour le pétrole, surmontée d'une longue cheminée en verre clair dans laquelle brillait une flamme en forme d'aile de papillon. Une lampe que Mamzelle Négresse s'était procurée pour la circonstance. Sur la table et l'étagère, il y avait des bouquets de fleurs.

L'attente paraissait d'autant plus longue que je n'osais, de peur d'être interpellé par de grandes personnes, faire un bond jusqu'au sentier pour voir où ils en étaient — longue comme paraît la distance parcourue lorsqu'on nage quelques mètres seulement au fond de l'eau.

Enfin, à travers le feuillage ajouré du petit jardin de manioc, on les aperçut tout près ; et puis ils furent devant la case.

Mais aussitôt, en moi et autour de moi, je sentis (je pourrais dire : j'entendis) je ne sais quoi s'abattre avec un choc sourd et douloureux. Je retins un cri, et m'étonnai que personne n'en eût poussé un.

Ils étaient deux !

Ils n'étaient que deux : Clément et Samuel.

Et en tenue de travail.

Alors, ne me possédant plus, je courus vers le sentier pour voir s'il n'y avait plus personne qui suivait.

Personne.

Ce fut Clément qui parla le premier.

— Mère, dit-il (c'est ainsi que Samuel et lui appelaient Mamzelle Négresse), le père de Samuel m'a chargé tout spécialement de vous présenter ses excuses. Il était déjà en route... Il était déjà à Fort-de-France, à la gare routière, près de l'autobus, là, lorsqu'on lui a apporté un télégramme. Il lui fallait retourner de suite à Macouba pour faire un mariage. Le Maire était absent, et comme c'est lui l'Adjoint, vous savez... Ah ! comme il était contrarié ! D'ailleurs il vous écrira.

Samuel ne disait rien. Il tirait de grosses bouffées de sa cigarette que, mécaniquement, il prenait entre ses doigts et reportait à ses lèvres.

Et Clément d'ajouter :

— Quant à Samuel, le pauvre, depuis, il est tout décomposé. J'ai cru qu'il n'allait pas pouvoir ramener le bus ce soir.

Mais moi, je me pris aussitôt à détester Samuel, furieusement.

Joséphine avait disparu. Sans doute était-elle allée pleurer dans la chambre.

Elle y resta, du reste, plusieurs jours pendant lesquels ma mère m'envoyait demander de ses nouvelles à Mamzelle Négresse ; car personne d'autre que sa mère ne pouvait la voir.

Je ne sais plus si Samuel continua longtemps à venir à Calebassier. En tout cas, on n'entendait jamais plus sa guitare, et Joséphine devint celle qu'on ne voyait guère. Elle ne chantait plus, n'allait plus à la messe le dimanche. Sa mère craignait qu'on ne lui eût jeté un sort.

— Car, voyez-vous, c'est à celle qui est en guenille que s'en prennent les chiens, disait-elle avec dépit.

*
**

Ma mère avait déménagé de Calebassier. Tout semblait être prétexte à déménagement. Mais la vérité est qu'étant toujours plus ou moins mal logé, on était toujours en quête d'une meilleure case.

Nous habitions alors à la cour Mayotte, quand un matin de bonne heure — ma mère était en train de «faire couler» son café, à l'heure où il n'y a guère dehors que les vendeuses de corossol doudou et de mabi et les parents qui veulent exposer les nouveaux-nés au mordant du serein matinal pour les endurcir — je vois arriver Joséphine accompagnée de Mamzelle Négresse qui tenait, à la manière dont on porte les bannières dans les processions, un beau bébé, tout potelé, tout frais.

Ma mère manifesta une grande surprise, s'empara de l'enfant, le berça, l'appela de noms calins.

— Il est si beau, dit-elle à Joséphine, qu'on dirait que tu as mis plus de neuf mois...

— Et voyez, faisait Mamzelle Négresse, en ricanant triomphalement.

Elle avait repris le poupon des bras de ma mère et, le retournant :

— Voyez un peu derrière sa tête. Héhéhé ! C'est Samuel tout craché. Héhéhé !... Et la bouche ! Dites-moi un peu si ce n'est pas la bouche de Samuel ! Hihihihi !...

LE CADEAU

LE CADEAU

Tant de choses se passaient que les grandes personnes, les vieilles femmes, les vieillards, les portaient au compte de la sorcellerie, et nullement pour faire peur aux enfants que nous étions !

Il y avait certainement des sorciers, des vrais. Mais je n'en connaissais point. Peut-être ne savais-je pas les déceler. En tout cas, je n'avais jamais rien relevé qui pût me convaincre que telle personne était douée de pouvoirs surnaturels. On avait beau insinuer que les sorciers, au jour, semblaient être comme tout le monde, et que c'étaient la nuit ou les retraites inaccessibles qui étaient, pour ainsi dire, l'élément propice à leurs activités maléfiques. Je ne voyais personne qui répondît par son physique et son comportement à la représentation que je m'en faisais d'après les contes que nous entendions dans les veillées funèbres ou dans toute la littérature d'épouvante portée de bouche en bouche à travers le pays, et auxquels nous étions toujours enchantés de soumettre notre imagination.

Personne, jusqu'au jour où je découvris Mon

sieur Atis. Découvrir n'est peut-être pas le terme exact. Monsieur Atis était de ceux que j'avais connus sans pouvoir dire à quel moment, au fur et à mesure que je pouvais explorer mon entourage et reconnaître ce que j'avais vu : les grandes personnes, les choses, les arbres ; Monsieur Walter qui faisait du pain, Madame Walter qui tenait la boulangerie ; Mamzelle Choutte qui faisait des macarons à la noix de coco, le samedi soir et le dimanche après-midi ; le charron qui, avec son apprenti, munis tous deux de longues pinces, posait autour d'une grande roue de bois un cercle de fer rouge comme de la braise, et encore plus grand, et qu'une giclée d'eau froide resserrait étroitement autour du bois ; et cela devenait une belle roue de charrette, avec laquelle j'eusse essayé volontiers de jouer au cerceau en attendant que le charretier vînt la prendre. Et le menuisier qui semblait s'amuser à faire des ripes blondes ou acajou, bouclées comme les cheveux des personnages qui étaient dans les livres. Et les manguiers ! Ceux de la Commune dont on pouvait ramasser et même cueillir les fruits sans crainte ; et ceux qui appartenaient à Monsieur Tertulien ou à Madame Zizine, et dont il fallait ramasser à la sauvette les fruits mûrs que le vent faisait tomber. Et puis, les bêtes, les insectes ; et aussi les herbes, celles qui étaient douces à mâchonner, et les vénéneuses. Et les bons fruits sauvages.

Toutes ces choses, ces règles de vie, toute cette science dont nous nous enrichissions au jour le jour sans nous soucier !

C'est assurément ainsi que j'avais connu

Monsieur Atis. Son métier à lui était des plus solitaires. Plus solitaire que celui du cordonnier qui, tout en battant le cuir sur la semelle d'un vieux fer à repasser posé sur son genou, ou tout en tirant le fil empoissé, aimait beaucoup à bavarder et à ricaner avec ceux qui venaient s'asseoir dans son échoppe.

Monsieur Atis, au contraire, pour travailler, ne pouvait ni causer, ni lever les yeux de son ouvrage. D'ailleurs, il s'attachait, pour ainsi dire, un œil à son travail au moyen d'un étrange instrument noir muni d'une bille en verre, qu'il incrustait dans sa paupière, et avec des pinces délicates, penché sur un établi jonché de petits instruments, il touchait d'une certaine façon les rouages dentelés des montres qui avaient cessé de faire tic-tac, jusqu'à ce qu'il les eût ranimées. Personne d'autre n'avait ce pouvoir dans le pays, et il n'avait pas besoin de se cacher, de recourir à la complicité de l'obscurité. Il exerçait en plein jour, à la vue de tous les passants, devant n'importe qui, tout seul. C'est cela qui m'enchantait. Et lui-même, M. Atis, selon moi, n'appartenait pas tout à fait à la race des hommes du pays — et pourtant il était bien de ce pays comme tous les autres, comme les arbres qui y avaient poussé et n'en étaient jamais sortis.

Il n'avait pas de beaux vêtements, mais il était toujours rasé de près (on pouvait, du reste, le voir se raser chaque matin devant une petite glace — de celles que vendaient les colporteurs syriens — accrochée sur sa porte entrouverte). Il se coiffait en mettant beaucoup de vaseline dans ses cheveux laineux qu'il partageait en deux, à coups de brosse bien appliqués, laissant une raie au milieu. Il avait toujours une chemise propre et, aux pieds, des alpargates.

Il n'était certainement pas riche : sa femme achetait à crédit le pain, le pétrole, le riz, de la graisse, de la morue séchée, comme toutes les « malheureuses » du bourg ; et si la maison qu'il habitait lui appartenait, elle n'était en réalité qu'une pauvre bâtisse en bois, pareille à toutes celles qui se cantonnaient humblement au bas du bourg, à la lisière des champs de cannes à sucre qui conditionnaient notre vie.

Il n'était donc pas riche, mais il jouissait d'autant de prestige que ceux qui avaient des maisons à étage au haut du bourg : Monsieur Aristide, par exemple, un mulâtre qui possédait une vaste propriété au Morne Régal et tenait en face de l'église un café avec un billard où venaient jouer les géreurs des plantations, le fonctionnaire de la régie, mon maître d'école et les chefs d'ateliers de l'Usine. Et même les petits Blancs des plantations lui apportaient leurs montres à réparer.

Certainement pas riche, mais les montres de toutes sortes, de toutes les dimensions qui garnissaient la cloison, derrière son établi, et les réveils alignés sur l'étagère au-dessus, formaient un fabuleux trésor, un monde merveilleux dont il était le maître et auquel j'avais réussi à accéder.

Depuis, je vivais dans l'admiration quotidienne de Monsieur Atis qui demeurait celui dont le métier était la pratique paisible, honnête et sans ostentation du merveilleux le plus authentique, le plus indéniable. Et comme je n'ai jamais été capable d'aimer quoi que ce soit sans en témoigner, il n'ignorait point ma dévotion et, en retour, me tenait pour un des enfants les plus polis, les plus serviables, et peut-être les plus intelligents du bourg.

J'étais le seul à qui il confiait une montre bien enchâssée dans une petite boîte en carton, à livrer lorsque le client n'était pas venu le samedi soir ni le dimanche après la messe.

— Tu lui feras remarquer que la note est dessus, et tu attendras.

Parfois on me remettait l'argent, mais le plus souvent on me disait :

— Dites à Monsieur Atis que je le remercie bien et que je passerai régler demain.

Ce qui m'affligeait du sentiment humiliant d'avoir mal rempli ma mission.

Au début il me recommandait mainte et mainte fois :

— Surtout ne la laisse pas tomber.

Tant et si bien que j'avais vite fait de comprendre qu'une montre, c'était comme un œuf frais, avec cette différence que si elle tombait, son boîtier ne se briserait peut-être pas, mais que tout ce qu'il y avait à l'intérieur mourrait de façon bénigne au lieu de se répandre dramatiquement par terre comme le blanc et le jaune de l'œuf.

Je sentais la montre dans ma main, à travers son emballage, tel le cœur d'un craintif petit oiseau capturé ou ramassé un jour de grand vent. J'avais acquis la faculté d'y accorder le battement de mon propre cœur. Finalement les appréhensions de Monsieur Atis s'étaient donc apaisées, et lorsqu'il me chargeait d'aller faire une livraison, il insistait plutôt pour que je réussisse à persuader le client qu'il avait un pressant besoin d'argent.

Ainsi, à la longue, mon admiration pour Monsieur Atis se doubla d'un goût, d'une passion, pour les montres. La belle passion classique, celle qui est entretenue par la souffrance de ne pouvoir posséder l'objet de ses désirs.

Et comment se fait-il qu'étant donné le principe, rebelle à toute morale et inexpugnable par les fessées, selon lequel nous, les enfants, nous n'hésitions pas à nous approprier tout ce que nous estimions nécessaire à nos jeux, à nos appétits — et que nous n'osions demander aux grandes personnes dans la crainte des rebuffades — comment se fait-il que jamais je n'avais éprouvé la tentation de voler une petite montre chez Monsieur Atis ? Pureté de mes sentiments, ou conséquence des pouvoirs magiques que je conférais à l'horloger, l'idée ne m'en effleura pas une seule fois.

Il me semble au contraire que si par quelque miracle il était advenu que j'eusse une montre, je l'aurais confiée à Monsieur Atis.

Alors je faisais mes délices du catalogue qu'il m'avait offert.

Ce catalogue était devenu pour moi une espèce d'horlogerie imaginaire. Le monde enchanté que j'avais l'impression d'avoir créé moi aussi. Je le connaissais par cœur ; je connaissais les caractéristiques de toutes les montres qui l'illustraient. Il y avait aussi des pendules, des réveils, des carillons, des garnitures de cheminée, des baromètres ; mais c'étaient uniquement les montres, remontoirs, bracelets-montres et chronomètres qui m'intéressaient. Il me suffisait d'ouvrir ce catalogue pour entendre un fourmillement de tic-tac, et cela me troublait bien plus encore que l'atelier de Monsieur Atis. Je pouvais le réciter les yeux fermés, ce catalogue, en précisant que tel modèle était en acier inoxydable, avec 10 rubis, cadran lumineux, garanti 5 ans, et que tel autre était extra-plat, 12 rubis, étanche.

Naturellement, j'avais mes préférences.

J'aurais pu choisir une en or, garantie 10 ans, avec écrin. Il y en avait, dans tout le catalogue, trois ou quatre de cette espèce ; mais je les avais groupées en une sorte de constellation dont l'éclat n'exerçait guère de séduction sur moi. Celle que j'avais choisie, et qui pour moi valait tout le catalogue, était une petite montre en argent guilloché (je ne savais pas ce que cela voulait dire, mais de toute façon ce devait être joli), avec écusson en or, 35 m/m de diamètre, 12 rubis, garantie 5 ans, avec une chaînette en argent. C'était elle que je me paierais quand je serais grand, et jamais je n'ai désiré quelque chose avec autant d'ardeur.

Son image dans le catalogue subjuguait à ce point mon esprit que l'achat de cette montre avait déjà en quelque sorte retenu sa place dans la file des événements qui devaient inévitablement jalonner ma vie.

Or ce fut Monsieur Atis lui-même qui fit tourner court cette ambition — mais de la façon la plus merveilleuse. De fait, plus je le connaissais, plus j'avais des raisons de le considérer comme un magicien.

Tout simplement, un jour, qui n'était ni mon anniversaire, ni Noël, ni le Jour de l'An, Monsieur Atis me fit cadeau d'une montre.

— Tiens, prends-là pour toi. Elle te plaît ?

Il aurait, ce jour-là, d'un geste, transformé un crapaud en pendulette de marbre, que ma stupeur n'eût pas été plus grande.

Aussitôt, un affolement s'empara de moi. Comme si je venais de commettre un larcin, ou que j'étais poursuivi par un malfaiteur, je partis à toutes jambes avec ma main crispée sur la montre jusqu'à la case de ma mère où je la cachai vivement dans les haillons qui formaient le matelas de mon lit.

Je me gardai d'en parler à qui que ce fût ; mais le soir j'allai au-devant de ma mère, à l'heure où elle devait rentrer du travail, loin après le bourg. Dès que je l'aperçus avec son grand panier en bambou sur la tête, je fonçai vers elle en criant :

— J'ai une montre ! Monsieur Atis m'a donné une montre.

Je haletais et ne pouvais plus articuler une parole.

— Qu'est-ce que c'est ? me demanda ma mère, qui n'avait rien saisi à mes vociférations.

— Une montre ! J'ai une montre ! Monsieur Atis qui me l'a donnée...

Ma mère semblait trouver mon exubérance tout à fait puérile. D'abord elle avait cru qu'il s'agissait d'une mauvaise nouvelle.

— Tu as fait sauter mon cœur, me reprocha-t-elle.

Mais lorsque dans la case je la lui fis voir et qu'elle se rendit compte que c'était une belle montre, et qui faisait un tic-tac énergique et troublant, elle s'exclama :

— Mais c'est une montre d'homme ! C'est une bonne montre ! Et tu dis que c'est Monsieur Atis qui te l'a donnée ?

Non, je n'aurais pas su la convaincre. Elle ne fit ni une ni deux : elle prit la montre, m'attrapa par la main et m'amena chez l'horloger.

— Oui, oui, affima Monsieur Atis, c'est bien moi qui la lui ai donnée. Qu'est-ce que vous croyiez ? Cet enfant est tellement bien élevé, rendant service, sérieux !... C'est une très vieille montre.

— Justement, expliquait ma mère, quand l'enfant m'a dit cela, je croyais que c'était une vieille montre qui ne marchait pas...

— Oh ! Elle marche bien, fit Monsieur Atis ; je lui ai du reste remis la clé pour la remonter. Mais il faudra acheter une chaîne, une simple petite chaîne en argent... Elle a un très bon mouvement, vous savez. Meilleure que les montres de maintenant. Pour ça, n'ayez crainte ; je ne risque pas de la voir s'arrêter de marcher !

Ma mère paraissait hébétée par la surprise et le contentement. Monsieur Atis se mit à rire :

— Elle marche, je vous assure, sinon je ne la lui aurais pas donnée. Elle marchera bien encore tout le temps qui me reste à vivre.

En guise de remerciements, ma mère promit :

— Je la cacherai bien. Il ne l'aura que lorsqu'il deviendra grand. Une montre comme ça, c'est pas un jouet !

J'étais ravi de voir ma mère partager ma joie. Je lui sus gré d'accaparer la montre et de la mettre en cachette de moi ; de ne même pas en parler pour ne pas susciter de la jalousie.

Du coup, mon catalogue subit une sorte de désacralisation, et ses photographies de montres perdirent de leurs résonances en moi. Jusqu'à l'image de la petite montre en argent guilloché qui me laissait indifférent. Au demeurant, je ne feuilletais plus le catalogue.

En revanche, ma montre, cachée je ne savais où, exerçait sur moi une obsession d'autant plus âpre que je l'avais très peu regardée, très peu examinée lorsque Monsieur Atis me l'avait donnée. Je pensais à elle comme à un lieu ou à une personne que j'avais connue et que j'eusse aimé revoir.

Alors, un jour, j'entrepris de la dénicher. Ce ne pouvait pas être difficile : l'exiguïté et le dénuement de notre case offraient peu d'endroits qui pussent servir de caches : les aisselles des poutres, sous le toit, l'échafaudage de caisses et de planches qui formaient le bois du lit, la batterie de petites boîtes de conserves ramassées au hasard des trouvailles. La perquisition fut assez rapide.

Restait le panier caraïbe — grand couffin en roseau tenant lieu de malle et de coffre et qui, dans chaque case, contient le linge, les bons vêtements, les bijoux, tout ce qui doit être gardé soigneusement. La montre était tout simplement rangée dans le panier caraïbe, sous le jupon de valenciennes que ma mère mettait avec sa robe de satinette mauve pour la messe du Jour de l'An, les enterrements des notabilités du pays, et, (cela s'était déjà produit une fois), lorsqu'elle devait porter au baptême l'enfant d'une amie.

Elle était dans une boîte en carton — une boîte plate qui avait contenu des médicaments — avec sa clé attachée à son anneau par un grossier bout de ficelle, parmi les scapulaires, la carte du denier du culte et le tour de cou en boules de verre grenat à fermoir doré, qui était sans doute tout ce que ma mère possédait de plus précieux. Il me semble que c'était la première fois que je la voyais, et pourtant je la reconnaissais. Elle n'était pas d'un métal brillant — de l'argent sans doute — très patiné, avec une locomotive gravée au dos et, par devant, son fascinant cadran en émail blanc avec de beaux chiffres bleus séparés les uns des autres par un point doré. Mon premier soin fut de prendre la clé, d'ouvrir le boîtier et de remonter le mouvement, comme je voyais faire Monsieur Atis. Et la montre se mit à palpiter à ce rythme puissant et discret qui était comme un battement atténué provenant du cœur de la terre. Je fis avec elle, ou pour elle, mille gestes — sorte de culte d'adoration improvisée. Mais il fallut me résoudre à la remettre à sa place aussi exactement que possible, afin de ne laisser aucune trace de mon incursion.

Cette montre, personne n'en parlait plus. Ni Monsieur Atis, ni ma mère. Ni moi, naturellement. Mais deux ou trois fois par semaine, je m'enfermais dans la case, j'ouvrais le panier caraïbe, je prenais la montre, je la remontais, je l'écoutais, je la mettais dans ma poche, la retirais, regardais l'heure. Je la déposais sur la table et je suivais des yeux les aiguilles jusqu'à ce que l'heure ait changé. J'aurais aimé la nettoyer avec de la cendre et du citron, comme j'avais vu faire pour astiquer les bagues, les chaînes ou les médailles en argent. Ou bien si j'avais pu me procurer de ce liquide dont se servait Monsieur Atis avec un chiffon de flanelle ! Mais mieux valait m'abstenir de tout ce qui pouvait me trahir.

Du reste, au bout de quelque temps, je n'avais plus de scrupule : la montre m'appartenait, je la regardais gentiment, tout seul, et la remettais soigneusement à sa place, chaque fois. Je ne faisais aucun mal.

Pourtant ce serait mentir que de laisser croire que jamais l'envie de l'emporter, de la faire voir, ne m'était venue. Mais je savais bien que, y céder c'était du même coup dévoiler mon secret, m'exposer à une atroce volée et risquer de ne plus voir pendant longtemps la montre qui certainement aurait changé de cachette.

Or, arriva le premier dimanche de la fête du pays. A cette occasion, ma mère me donnait deux sous ; j'allais faire à mon parrain ma deuxième visite annuelle (la première avait lieu le Jour de l'An) et cela me rapportait jusqu'à 10 sous. Tant bien que mal, et sans rien demander — car j'étais réellement un enfant bien élevé qui ne demandait rien, et surtout pas de l'argent, aux grandes personnes — tant bien que mal, je réussissais à recueillir environ 1 franc pour me payer quelques-unes des réjouissances qui n'étaient pas offertes gratuitement au public, et surtout trois ou quatre parties de chevaux de bois.

Il y avait certaines années deux manèges ; ils s'installaient au haut du bourg, sur l'esplanade qui se trouvait en face la maison de Monsieur le Maire. Ils étaient le cœur de la fête, battant depuis l'après-midi jusqu'à l'aube du lendemain. Lorsque leurs tam-tams s'arrêtaient, la fête était finie ; et nous retournions sur la place pour y ramasser toutes sortes de détritus parmi lesquels les plus chanceux d'entre nous trouvaient même des pièces de monnaie.

Deux manèges. Un manège de chevaux de bois, celui de Monsieur Dolor.

Monsieur Dolor en était le propriétaire et y jouait de la clarinette. C'était lui qui apportait les airs nouveaux, les dernières biguines de la ville, et même des chansons des pays de l'autre côté de la Mer.

Et l'autre, c'était « La bicyclette ». Un manège d'espèces de draisiennes en fer qu'on faisait tourner soi-même sur une piste de fer en pédalant de toutes ses forces. Cela coinçait parfois les pieds, déchirait les vêtements, déraillait de la piste ; et dans le bourg on l'appelait « Maman prends l'deuil » (de ton enfant).

Ce premier dimanche de la fête fut l'occasion qui justifiait que pour une fois — toujours à l'insu de ma mère — je porte ma montre. En vérité, cette fois la tentation avait pesé si fort sur mon scrupule et mon appréhension que je n'y pouvais opposer aucune résistance.

Ce dimanche-là j'attendis que ma mère fût revenue de la messe et qu'elle eût rangé dans le panier caraïbe le foulard qu'elle en avait retiré le matin. J'étais alors presque certain qu'elle n'ouvrirait pas le panier avant le dimanche suivant ; et dès qu'elle fut sortie pour aller au marché, je m'emparai de la montre, la remontai et la mis dans ma poche.

En vérité, les enfants désobéissants n'ont pas de chance, et la morale ne leur passe rien !

Dans la foule qui entourait les chevaux de bois transfigurés par leur tourbillonnement au son de la clarinette et des tam-tams, je sortis ma montre pour regarder l'heure avec une petite vanité voilée d'un petit air tout à fait naturel, quelqu'un en passant derrière moi heurta mon coude, la montre s'échappa de mes doigts et tomba sur le gravier. Je la ramassai avec une telle promptitude qu'elle aurait pu rester comme si elle n'était pas tombée du tout. Mais son tic-tac avait cessé. Je la secouai, la portai de nouveau à mon oreille, la considérant un peu comme une personne qui a perdu connaissance et qui reviendrait à elle. Je m'écartai de la foule, comme on isole une personne prise de malaise, j'ouvris la montre, je la remontai ; la clé tournait, tournait, mais la montre restait inanimée.

Que faire ?

Je pensai aussitôt à aller la déposer à sa place tout simplement. Ma mère ne s'apercevrait jamais de rien. Du moins pas avant bien longtemps. Certes, mais c'était le chagrin plus que la peur d'être dévoilé qui m'accablait déjà. Il n'y avait qu'un parti à prendre : porter la montre à Monsieur Atis, lui dire que d'elle-même elle avait cessé de marcher. Peut-être à cause de sa longue inactivité ; on ne sait pas. Alors il me la réparerait, je la remettrais dans sa cachette et n'y toucherais plus. Et comme ma mère n'allait jamais chez l'horloger, j'avais toutes les chances pour qu'elle ignorât complètement l'incident.

Soulagé à cette seule idée, je me rendis résolument chez Monsieur Atis.

Mais malgré ma préoccupation, dès que j'arrivai au bas du bourg, je remarquai une certaine agitation dans la rue. Les gens couraient devant moi. Je crus même entendre des cris.

Il y avait déjà un attroupement devant la maison de Monsieur Atis, et c'était Madame Atis qui criait. Les voisins s'engouffraient dans la maison avec des bouquets de ces feuilles dont l'odeur ranime les femmes qui tombent en syncope sous le soleil du Vendredi Saint, pendant le Chemin de Croix ; les femmes accouraient avec des fioles de médicaments. Ils ressortaient avec le visage des passagers qui arrivent devant la poste juste quand la postale vient de démarrer. Les lamentations de Madame Atis continuaient à donner l'alarme.

Monsieur Atis était mort.

— Son cœur, disait-on.

— A l'instant, là, disait-on ; vers les quatre heures.

Je sortis ma montre.

Elle était arrêtée, en effet, sur quatre heures. Exactement quatre heures.

LE PHONOGRAPHE

LE PHONOGRAPHE

Madame Deleuze, la femme du notaire, avait un appareil qui parlait, chantait et faisait de la musique comme s'il y avait dedans un homme, une belle femme blanche et tout un orchestre.

Pourtant, il n'était pas très grand, cet appareil : une cassette en acajou qui n'aurait même pas pu contenir la rechange d'un pauvre nègre, et qui portait une énorme fleur verte, en carton ou en tôle, par laquelle sortaient les paroles et la musique.

Au début, on faillit devenir fou à force de vouloir deviner par quel subterfuge ou quelle magie des êtres invisibles pouvaient se manifester dans cette espèce de boîte à surprise. Les hypothèses se succédèrent, se heurtèrent, s'anéantirent avec plus ou moins de violence ; ce qui occasionna, par exemple, que depuis, des gens comme Cius et Joachim ne se parlaient plus.

— Parce qu'il a été un peu à l'école, proférait Cius, il se prend pour un Docteur.

Et Joachim :

— On lui dirait que demain le soleil ne se lèvera pas, qu'il n'aurait pas honte de faire aussitôt provision de lampes et de kérosène.

Puis, peu à peu, on cessa de se creuser la cervelle. On crut avoir compris.

— Eh bien, comme disait Ferjus qui, lui, était bien placé, ayant fait Verdun, en France, et savait jouer du clairon, vous ne voyez pas ? La musique est cachée dans les petits ronds du disque, et c'est la manivelle qui donne à la machine de l'appareil la force de la sortir par le cornet. C'est que ces Vieux Blancs-là inventent les choses comme s'ils n'avaient rien d'autre à faire... Si vous aviez fait la guerre, vous auriez vu combien ils sont sorciers...

Le gramophone de Madame Deleuze (la personnalité de cette mulâtresse était telle qu'on ne parlait presque jamais de son mari) avait donc cessé d'intriguer les habitants de Gomaré pour devenir une merveille familière, sans être pour autant désacralisé, et ne suscitait plus de questions.

Dès lors, c'était en réalité tout le bourg qui jouissait du gramophone. Les dimanches après-midi, les jours de fête, ou lorsqu'elle avait « du monde », Madame Deleuze ouvrait toutes grandes ses fenêtres dont les gosses occupaient d'assaut les rebords, et si nombre de personnes s'assemblaient dans la rue, en face, pour écouter, la plupart n'avaient même pas besoin de quitter le seuil de leurs maisons. Il est vrai que Madame Deleuze se faisait un plaisir et un devoir de « pousser » l'appareil à fond pour qu'il pût porter le plus loin possible.

Ainsi, le gramophone était entré dans le patrimoine du bourg presque au même titre que l'harmonium de l'église, le marché couvert et les deux bornes-fontaines pour lesquelles la nouvelle municipalité (dont Monsieur Deleuze faisait partie) venait de remplacer le tuyau qui donnait un filet d'eau au milieu d'un bourbier où, du matin au soir, pataugeaient les pieds nus des femmes et des enfants. Ainsi le gramophone de Madame Deleuze était devenu le luxe de tout le bourg. Un objet qui, tout en rajoutant au prestige dont jouissait Madame Deleuze, attirait à cette dernière une gratitude unanime.

Heureusement, cet engouement pour le gramophone n'avait porté aucune atteinte à la réputation bien établie de Tatave, l'accordéoniste. La musique de Tatave était toujours restée aussi nécessaire que le kérosène pour l'éclairage ou les cloches de l'église.

⁂

C'est alors qu'Odilbert arriva. Odilbert Faustin. De la famille Faustin, qui habitait à l'entrée du bourg. Cela faisait bien des années qu'il était parti. Au grand soulagement de la famille, il faut le rappeler. Ce garçon qui n'avait guère profité de l'école, avait toujours été trop grand et trop fort pour son âge et ne causait que du désagrément à ses parents. Bagarreur, trousseur de filles (précoce comme il l'était !), il restait parfois deux, trois jours, sans rentrer à la maison. Mauvaise conduite, mauvaises fréquentations. Madame Faustin en devenait folle. Alors que le fils aîné, Beaubrun, était si rangé, si paisible : un pain doux. Quant à Denise, la toute jeunette : une perle fine.

Vraiment, cet Odilbert semblait avoir été conçu pour empêcher ses honnêtes parents de connaître la tranquillité. Aussi Monsieur Faustin n'avait-il point hésité lorsque s'était présentée l'occasion de le faire s'engager dans la Marine. Cela n'avait pas traîné, et la famille n'avait pas été peu fière de s'en débarrasser si honorablement. Aussitôt, l'éloignement avait fait se tourner vers lui toute l'affection des siens et même la sollicitude de ceux qui avaient eu à se plaindre de lui. On ne pouvait pas adresser la parole à quelqu'un de la famille Faustin sans en venir à Odilbert. Les conversations avec les Faustin avaient un ton et des résonances qu'elles ne pouvaient pas prendre avec les autres. Les Faustin parlaient de croiseurs, de porte-avions, d'avisos, de ports dont les noms enchantaient l'imagination. Il n'était pas jusqu'à la petite Denise qui ne racontait :

— Il est maintenant à Toulon, sur le « d'Entrecasteaux », et le 16, il appareillera avec l'escadre pour la croisière de la Méditerranée. Ils resteront dix jours à Bizerte.

Tous ces mots, toutes ces consonances frappaient tellement l'esprit que la famille Faustin était vue par chacun en filigrane sur un fond de pays inconnus, lointains, merveilleux ; ce qui, dans le bourg, en faisait des êtres à part.

Ceux à qui Madame Faustin montrait les photos d'Odilbert n'en revenaient pas de ce que ce dernier avait changé. Il avait forci, lui qui était déjà rablé comme un lutteur. Mais en même temps, ses traits paraissaient plus raffinés. Et puis, il n'y a pas à dire, l'uniforme lui donnait de la prestance.

— Ah oui, les enfants, c'est pas comme les cailloux : ça ne reste pas tel quel.

On nous avait bien dit qu'il était à Saïgon depuis quelque temps. Plusieurs même avaient eu le privilège de voir ses dernières photos dans un pousse-pousse, devant une pagode ou dans un jardin à côté d'une Indochinoise en longue robe de soie.

— Et quand la campagne sera terminée, annonçait Beaubrun, il aura droit à un congé au pays. Et je crois bien qu'il sera déjà quartier-maître.

Mais cela ne paraissait pas si proche, et nous n'y avions plus guère pensé.

Or, brusquement, un beau jour, la grande nouvelle : Odilbert est arrivé.

L'auto l'avait déposé la veille au soir chez ses parents, à l'entrée du bourg ; de sorte que plus d'un avait voyagé avec lui depuis la ville, et même lui avait parlé pendant tout le voyage.

— Il a beaucoup changé, disaient certains.

— Et en même temps, il est toujours pareil : boute-en-train, pas fier.

La journée n'était pas terminée que la nouvelle rebondissait à cause d'un détail qui n'avait pas encore été signalé : le phono.

Odilbert avait apporté un phono. Les proches voisins l'avaient même entendu le soir de l'arrivée, beaucoup l'avaient vu.

Tout différent de celui de Madame Deleuze. Comme une petite valise, avec beaucoup de nickelage. Pas de cornet.

Et pourtant ça jouait aussi bien, aussi fort que le gramophone de Madame Deleuze.

— Tu écoutes, et tu te demandes d'où sort la musique.

Une valise : on la prend, on la met où l'on veut, on tourne la manivelle, on met un disque et ça joue.

Ce qui fit aussitôt le succès du phono d'Odilbert, ce ne fut pas tant la nouveauté de sa forme que le genre de musique qu'il jouait. Des airs de chez nous : des buigines, des mazouks interprétés par des orchestres où l'on reconnaissait tous les instruments que nous aimons, ou chantés par des voix d'hommes et de femmes qu'on aurait dit de chez nous.

Pourtant cela venait de l'Autre-Pays !

Comme si, étant là-bas, ils avaient des appareils pour entendre et imiter à la perfection notre musique d'ici, avec tout son piquant et toute sa chaleur qui, à travers le phono, prenaient encore plus d'éclat et d'intensité.

Il y avait aussi des romances que chantait une voix mielleuse et coulante comme une clarté de lune. Il y avait des tangos que jouaient des instruments qu'on ne pouvait pas se représenter. Et aussi de ces rumbas à faire croire qu'on entrait dans Rio en fête ; et c'étaient les trilles saccadés des maracas qui, au lieu de sang, vous coulaient dans les veines.

On ne se souvenait guère que le bourg eût déjà été dans un tel état d'excitation. Tous ceux qui avaient entendu et, à plus forte raison, tous ceux qui avaient vu le phono d'Odilbert en étaient si émerveillés, et leurs témoignages suscitaient tant de curiosité, que la maison des Faustin était pour ainsi dire investie par des rôdeurs qui attendaient à tout instant de la musique.

Il va sans dire que les visites aussi étaient fréquentes. D'ailleurs, point n'était besoin d'inventer des prétextes ni de guetter les occasions. On n'avait qu'à se présenter en disant :

— J'ai appris qu'Odilbert est de retour. Ça me ferait tellement plaisir de le voir ! Depuis le temps...

Cela honorait toujours la famille et flattait Odilbert, même lorsqu'il s'agissait de quelqu'un que ce dernier n'avait jamais connu, ou qu'il ne remettait pas du tout. Alors, c'était rare qu'on ne gratifiât le visiteur de l'audition d'un disque, d'autant plus volontiers qu'Odilbert et ses parents eux-mêmes ne se lassaient point d'entendre le phono.

Ce fut donc cette vive passion qu'il avait semée et la grande admiration qu'il s'était attirée, qui inspirèrent à Odilbert l'idée d'organiser une sauterie. Quoi de plus naturel ? Tôt ou tard, il fallait y venir. Une sauterie au phono. Voilà qui aurait une toute autre allure que les habituels « bousins » animés par l'accordéon de Tatave. Madame Faustin convint la première qu'il valait mieux, en effet, inviter le plus d'amis possible afin de pouvoir tous ensemble, d'un bon coup, entendre les quelque quinze disques qu'avait apportés Odilbert (Madame Deleuze n'en avait pas autant), et pour mieux en jouir, danser un peu. Ce n'est pas Monsieur Faustin qui les aurait désapprouvés, lui qui avait aussitôt pressenti l'accroissement d'honorabilité que lui mériterait un tel événement.

*
**

Et voilà toute la famille engagée avec zèle dans les préparatifs.

A Monsieur Faustin fut dévolue la tâche de veiller à la bonne tenue de la soirée. Il y allait de la réputation de sa famille. Pour Odilbert, la gageure était de réunir, de cueillir en quelque sorte, toutes les filles de bonne famille que pouvait compter le bourg.

Mais en dépit de l'attraction certaine du phonographe, ce ne fut pas entreprise facile. Si certains parents acceptaient avec empressement, d'autres marchandaient leur acquiescement. Il était assez rare, en effet, que telle famille n'eût pas quelque grief contre la conduite, l'option politique ou le passé de tel ou tel membre de telle autre famille.

— Si ce n'était que pour vous et vos parents, Monsieur Odilbert, je vous répondrais oui tout de suite ; mais, vous comprenez, je ne peux pas envoyer ma jeune fille chez vous pour y rencontrer Manotte Gésira, dont la sœur est en ménage avec un homme marié qui n'est même pas un béké ([1]).

Mais en réalité, ces obstacles avaient pour effet d'accroître aux yeux d'Odilbert l'impor-

(1). Blanc de la Martinique.

tance de son initiative. En tout cas, c'était pour lui autant d'occasions d'exercer son habileté et sa persuasion.

L'annonce de cette sauterie et les remous qu'elle provoquait avaient déjà communiqué à la vie du bourg une sorte de fièvre bénigne qui se manifestait jusque dans l'impulsion qu'avaient prise les affaires des moindres commerçants ; il avait suffi, par exemple, que Germaine Dafé sût que Pauline Alpha avait acheté trois mètres d'organdi, pour qu'elle se payât, elle, une robe en tulle moustiquaire avec un dessous en toile de soie coq de roche. Dès lors les deux magasins du bourg ne cessèrent de débiter des rubans, des dentelles et des coupons de tissus, des boîtes de poudre de riz, des pots de vaseline parfumée, des cartons d'épingles à cheveux et des tubes de parfum. Et Théodore qui réparait les chaussures fut toute une semaine submergé de travail, autant que les trois couturières qui, aux yeux de tous, passaient pour des personnes qui avaient reçu leur talent en don du ciel ou en héritage d'un mort, n'ayant fait aucun apprentissage, à l'instar de celles qui voient l'avenir ou qui guérissent les maladies.

Odilbert s'activait à tous les détails de l'organisation et en rendait compte à son père.

— J'ai commandé cent cinquante petits pains chez Alcide, disait-il à sa mère ; et une bonne femme du quartier Diacka doit nous apporter dix francs de fleurs pour décorer la salle.

Odilbert avait fait les invitations, les achats et les commandes avec une sorte d'acharnement, sans compter le nombre de ses invités, ni faire le montant des frais. Pour ce qui était des dépenses, aucune surprise désagréable n'était possible : il payait comptant, et même d'avance ; ce qui donne une telle saveur à la dépense !

Ce n'est que le jeudi avant la sauterie qu'il s'aperçut que le nombre des invités dépassait la contenance de la grande salle. On y serait trop à l'étroit.

— Dans ce cas, il n'y a qu'une chose à faire, c'est de décloisonner.

Supprimer la cloison de planches qui séparait la salle de la chambre des parents. C'était tout de même dommage de mutiler en quelque sorte cette bonne maison familiale, objet d'un si pieux respect. La perspective du décloisonnement apparut un peu comme un sacrilège. Mais comment faire autrement ? Le succès de la soirée, c'était l'honneur de la famille. Il ne s'agissait pas d'un petit amusement, mais d'un vrai bal qui aurait ceci de particulièrement chic qu'au lieu de faire appel à Tatave, l'accordéoniste de campagne que tout le monde connaissait, on danserait pour la première fois sur la musique d'un phonographe, chose qui, pour le moment, ne se faisait, à ce qu'on disait, qu'à la ville.

Il fallait donc décloisonner.

Cela aurait pu contrarier encore Madame Faustin, à cause des photos encadrées, des calendriers illustrés, des étagères de vaisselle fine, du miroir, qui meublaient et décoraient la cloison du côté de la salle, et qu'il fallait enlever au risque de les abîmer. Mais ce souci ne résista pas à la fierté qu'elle éprouvait déjà en pensant que, plus tard, en évoquant ce bal, elle pourrait dire :

— Nous avions même décloisonné !

Comme pour un grand mariage, par exemple.

Toute la famille se rendit à la nécessité de décloisonner.

La veille du bal, deux menuisiers, aidés par Odilbert, Beaubrun et deux autres amis, déclouèrent les planches qui formaient la cloison.

Madame Faustin et son mari avaient débarrassé la chambre de tout son contenu : lit, commode, couffins à linge, vêtements.

La seule concession qu'elle avait refusé de faire, c'était de déplacer sa « Vierge », la petite étagère d'angle sur laquelle était posée, parmi d'autres saints, une statuette de la Vierge en robe blanche et manteau bleu étoilé d'or, avec son enfant sur son bras dans la lueur d'un lumignon. Personne n'avait osé insister pour qu'elle commît le sacrilège d'enlever cet autel qui était pour ainsi dire la poutre maîtresse de la maison, d'autant plus que chacun était bien convaincu que, en revanche, ce n'était point péché de danser devant la Vierge.

Les badauds s'étaient massés devant la maison aussitôt que les lampes avaient été allumées. C'était une maison en contrebas, avec le bord du toit presque au niveau de la route, une petite maison en sapin de Norvège non peint, mais qui par ses dimensions, faisait figure de maison bourgeoise parmi les baraques de deux pièces du quartier. Les badauds formaient un mur, là, devant, mur qui s'épaississait et s'étirait à chaque instant ; si bien que, pour le moment, il y avait déjà dehors une foule qui regardait les quatre jeunes filles en robe du dimanche, à l'intérieur, avec six ou sept jeunes gens en costume de drill blanc, tous allant, venant, pirouettant, causant et riant, avec cet air, ces gestes, cette élégance inspirée qui ressortissaient déjà à la danse.

Odilbert accueillait les arrivants et faisait les présentations, puis disparaissait dans l'office où on le réclamait, à la cuisine où il lui fallait vérifier la préparation des victuailles, pendant qu'un gars parcourait la salle d'un pas rapide en jetant, à droite, à gauche :

— Odilbert ! Où est Odilbert ? On le demande à la porte.

Il s'agissait d'une invitée que la timidité empêchait d'entrer seule, à moins que ce ne fût une barre de glace, ou un casier de bouteilles de limonade qu'on devait lui livrer en mains propres.

Comme il était présumé le seul à s'y connaître, à lui revenait le soin d'actionner le phono. Il avait nettoyé les disques avec un chiffon imbibé d'alcool — comme il avait cru bien de faire — et les avait rangés en pile, de façon que les morceaux fussent dûment alternés : mazouk, valse, biguine, tango.

*
**

Au premier morceau, on n'osa pas danser. Ce ne fut guère par timidité que pour le plaisir d'entendre jouer le phono. Toute la salle, en effet, entourait l'appareil, et les yeux pétillants d'émerveillement, on essayait, une fois de plus, de pénétrer le mystère de cette invention. Puis Odilbert remit le même disque et ouvrit le bal. Aussitôt la salle s'anima d'un même rythme, telle une puissante machine dont les bielles invisibles étaient la musique. Et c'était comme l'accouplement frénétique de la joie de danser avec l'envie qu'on en avait.

Ah ! quand sous l'effet de la musique le corps rejette ses gestes habituels pour se répandre en mouvements avides de beauté — de beauté seulement !

Cependant du parquet montait un tel bruit de frottement de semelles, que la musique se perdait comme un filet d'eau livré au sable. Chacun se mouvait à la cadence de ce grand frottement de semelles qui formait comme un orchestre sourd, sinon un immense tam-tam, et personne n'osait faire remarquer qu'on n'entendait point le phono. Tout le monde continuait de danser, souriait après chaque danse. On aurait dit, pour se mystifier les uns les autres, ou donner le change à la foule des badauds.

Mais dehors, ceux-ci, après un moment de stupeur, commençaient à protester avec véhémence, se sentant victimes d'une frustration, d'un abus de confiance.

Odilbert, gardant son sang-froid, avait poussé à fond le bouton qui faisait jouer plus fort le phono. Aucune amélioration. Monsieur et Madame Faustin s'étaient retirés à la cuisine, moins par confusion qu'afin de réfléchir et trouver une solution.

— Ça ne va pas, Odilbert, mon fils ! dit gravement Monsieur Faustin.

Et là-dessus, il prit son chapeau, sortit et disparut parmi les bananiers aux larges feuilles.

— Non, ça ne va pas ! renchérit Madame Faustin d'un ton alarmé, en se tournant vers Odilbert ; y a trop de monde. J'avais déjà vu que tu invitais trop de monde.

— Assez, maman, je t'en prie ! fit Odilbert, réprimant et son désarroi et son agacement.

Il lui fallait faire bonne contenance, remonter le phonographe et manipuler les disques après chaque morceau, faire danser les filles à tour de rôle, veiller à ce que le rhum ne manquât point.

Or, il lui semblait que tout le zèle qu'il déployait ne faisait qu'intensifier le vacarme qui étouffait la musique, aggravant la situation d'autant plus que le nombre des invités n'avait pas cessé de croître.

Alors que faire ?

Dire :

— Mes amis, comme nous sommes trop nombreux...

Non, pas ainsi.

Il devait pourtant y avoir une façon de le dire.

Toujours est-il que cela ne pouvait pas continuer.

Il semblait à Odilbert que, d'un moment à l'autre, une voix proférerait :

— Mais c'est pas bon, ça ! On n'entend que le bruit des souliers. On ne peut pas danser !

Aussi, s'efforçait-il d'être attentif à tout ce qu'on disait autour de lui, craignant qu'on ne le murmurât déjà.

Mais on dansait, on buvait, on feignait de s'amuser éperdument avec une application quasi héroïque, comme dans un purgatoire où l'on eût été obligé de sourire. Une de ces situations qui mène au comble de l'angoisse et dont on émerge juste au moment d'y succomber, soulagé de reconnaître que ce n'était que la bizarrerie d'un songe.

Malheureusement, Odilbert était sûr qu'il ne rêvait pas.

Alors que faire ? Et papa...

Monsieur Faustin n'était pas encore revenu et son absence commençait à inquiéter sa femme et surtout Odilbert.

A tout instant, la même question :

— Tu n'as pas vu papa ?

Et Madame Faustin :

— Mais où donc a-t-il pu aller ? Je ne vois pas ce qui pourrait le retenir aussi longtemps dehors à cette heure.

Sans arrêt, Odilbert parcourait la salle et les alentours, n'essayant plus de dissimuler sa nervosité. Ce qu'il craignait surtout, c'était que le mouvement d'humeur de son père ne fût un signe de mécontentement contre lui et une réprobation. Or, par respect ou affection, Odilbert redoutait de le contrarier.

Alors il sentit s'enfler démesurément dans sa tête le vacarme qui l'environnait, et il vit trouble, et il eut une furieuse envie de fuir en criant.

⁂

Tout à coup, une musique d'accordéon, déferlant dans la salle, fit courir une clameur de surprise jusque sur la foule qui assistait dehors.

— Tatave !

Le musicien.

On l'aurait toujours reconnu, Tatave, rien qu'à une seule note de sa musique.

Et l'on s'aperçut en même temps que Monsieur Faustin était de retour.

Toute la salle dansait comme un peuple délivré.

FLEURISSEZ-VOUS, MESSIEURS-DAMES

FLEURISSEZ-VOUS, MESSIEURS-DAMES

On ne se souvenait guère d'avoir vu un printemps aussi tardif. Au 1er Mai, le muguet n'était pas fleuri. Il pleuvait, il faisait gris. On disait que les fleuristes avaient dû faire fortune avec leur muguet de serre et que celui qui aurait trouvé dans les bois quelques brins à deux ou trois clochettes aurait gagné des mille et des mille.

A la vérité, partout c'étaient des feuilles qu'on vendait ; des feuilles et, tout au plus, une crosse fragile au long de laquelle perlaient quelques granules verdâtres.

C'est dire combien le printemps était en retard !

N'empêche que dans la forêt tout était près d'éclater en bourgeons et en corolles ; tout était comme nous, gonflé du désir du printemps, travaillé par l'attente du printemps ; et il n'y avait nul doute qu'aussitôt que le soleil percerait, le beau temps ferait irruption, tout fringant, tout échevelé.

— Car lorsque c'est comme ça, ça vient vite,

prophétisaient les femmes, au coin des rues ou dans les épiceries.

De fait, ce dimanche-là, il faisait beau. On n'aurait pas cru qu'il ferait aussi beau.

Sitôt après le déjeuner la ville s'était répandue dans la forêt où chaque voiture qui arrivait avait beaucoup de mal à trouver un coin d'ombre pour se garer ; de même qu'on voyait errer longtemps tel qui avait cru pouvoir s'isoler pour lire ou se prélasser. Toute la ville, avec ses autos, ses couples d'amoureux et ses nouveaux mariés ; ses voitures de bébé, ses flopées d'enfants et ses personnes aux cheveux blancs, toujours vêtues de noir, même lorsqu'il fait clair et chaud, et que le Gouvernement venait de baptiser respectueusement d'« économiquement faibles » — sans compter les Parisiens qu'on voyait partout, par familles entières — enfants, parents et grands-parents groupés autour d'une table-valise et jouant aux cartes, discutant en consommant des boissons de toutes les couleurs dans des gourdes en matière plastique.

D'autres restaient dans leur voiture où le récepteur de radio laissait filtrer le débit volubile d'un reportage de quelque match de football au Parc des Princes.

Il y en avait qui jouaient à la balle, et aussi quelques messieurs chauves et bedonnants qui avaient déjà tombé la veste, se sentant ainsi rajeunir, pour discuter une course à pied avec leurs petits-fils, à la grande hilarité des femmes.

Il faisait bon rire au soleil.

Il y avait beaucoup de ces garçons en culottes courtes et de ces jeunes filles en pantalons qui, sac au dos, explorent la forêt tous les dimanches et en toutes saisons.

Pour la première fois de l'année, le marchand de glaces ambulant était réapparu, veston de toile blanche et casquette blanche, sous le dais de sa petite voiture repeinte en blanc et portant comme une garniture des lettres rouges formant un nom à consonance espagnole. Les enfants allaient vers lui comme des agneaux à l'abreuvoir, et il leur distribuait contre vingt ou trente francs des cornets de crème glacée rose, jaune, brune — ou en deux couleurs — qu'à distance on eût pris pour des bouquets de fleurettes.

C'était dans la forêt, à un endroit où les chênes et les hêtres avaient complaisamment réservé à l'herbe un grand rond bien vert, et les dames se baissaient, avec leurs jupes claires, pour y cueillir du pissenlit, des pâquerettes ou des trèfles à quatre feuilles.

La route coupait cette grande clairière verte, la route qu'on ne pouvait même pas traverser, parce que les autos, dans l'une et l'autre direction, roulaient en deux files ininterrompues ; de sorte qu'on se trouvait là comme sur les rives d'un fleuve dont on regardait couler les eaux déchirées par le milieu en deux courants contraires.

La vitesse des autos provoquait un violent déplacement d'air dont on se méfiait, parce qu'il soulevait les jupes ou menaçait les yeux de la fine poussière qui ourlait les bords de la route.

Il était le seul qui, au contraire, restait debout au bord de la route, et à chaque auto qui arrivait, au lieu de s'écarter, il se penchait un peu plus en avant, levant les bras, et plus l'auto roulait vite, plus il s'obstinait à lui faire signe, s'avançant même de quelques pas vers elle, essayant de l'hypnotiser en quelque sorte, et de temps en temps, en effet, au grand étonnement de tous, une voiture ralentissait, tel un oiseau qui atterrit et, progressivement, allait s'arrêter un peu plus loin, pendant que lui se précipitait vers elle, brandissant les deux bouquets blancs qui avaient déterminé le miracle.

Depuis la veille, il avait sans doute senti venir le beau temps, il n'y avait pas à dire, et avait songé à tout le muguet qui n'était pas fleuri pour le 1er Mai et à propos duquel on avait dit : « D'ici une dizaine de jours... le temps que le soleil revienne... »

D'ailleurs, il avait pu voir combien c'était déjà avancé : il en avait suivi l'éclosion, lui qui parcourt la forêt tous les jours, par tous les temps, soit pour cueillir des champignons, des jonquilles, le pissenlit, selon la saison, soit pour le ramassage du bois mort.

Il connaissait toute la forêt.

Il savait rester silencieux et se rendre invisible pour assister au passage des biches ou bien aux ébats des écureuils sous les pins.

Il vivait de la forêt.

Il s'était donc levé de bonne heure — oh ! il en a bien l'habitude : il se vantait de ne pas dormir — et il était parti du côté de Verneuil, qui est le pays du muguet, comme Recloses est le pays de la jonquille. Tout le monde le sait, mais il était presque certain de n'être devancé par personne en y allant de bon matin ; c'est loin.

Et il y en avait, du muguet ! Il s'en était bien douté. Il y en avait tellement que, sans exagérer, il aurait pu apporter une faux au lieu de se baisser pour les arracher brin à brin. Toute la matinée, il ne s'arrêta pas de cueillir, tantôt accroupi et s'avançant pareil à des gosses qui font la marche du canard, ou bien se traînant sur les genoux. Il en avait eu mal aux reins, mal aux épaules, et les cuisses et les mollets endoloris comme s'ils eussent été battus à coups de pilon. C'était ce qui lui valait une allure un peu saccadée et titubante ; mais le ciel pouvait être témoin que pendant tout le temps qu'il avait été seul dans la forêt, faute d'un litron de vin rouge, il avait eu la langue collée au palais. A tel point qu'il s'était dit :

— Au premier bistrot, même si je n'ai encore rien vendu, je donne à la patronne une botte de muguet contre un canon de rouge.

La patronne n'aurait pas perdu au change.

Du muguet de toute beauté, odorant et — il pouvait être fier — bien présenté.

Lorsqu'il eut fini la cueillette, il s'était assis dans l'herbe, au soleil, avec tout le tas de muguet entre ses jambes allongées ; tout ce tas de fleurettes blanches à côté de ses godillots qui semblaient être pétris de terre, tant ils étaient sales, et de son pantalon de velours aux reflets de vieille écorce, pour les assembler brin à brin, délicatement dans son poing entrefermé en porte-bouquet, son poing incisé et parcouru d'un réseau de crevasses noires, qu'il élève pour examiner dans le soleil la botte de muguet qui, à chaque brin, se forme, s'organise dans le soleil, devient peu à peu une grosse fleur blanche qu'en somme il a composée lui-même, et qu'il entoure d'une collerette de tendres feuilles vertes, bien choisies. Puis, l'ayant ceint d'une fibre qu'il tenait entre ses lèvres, il le fait tourner en clignant de l'œil avant de le poser soigneusement sur l'herbe.

C'était comme un jeu, comme quelque chose de pas sérieux, du moins pour un homme de son âge et qui ne devait pas perdre son temps avec les fleurs.

C'était quand même du travail.

Toute une matinée !

— N'importe comment, des bottes de muguet de cette qualité, à cent francs, ça devait marcher, pensait-il.

De fait, la vente n'avait pas mal commencé. Il s'était posté ici de préférence. Plus bas, c'était le virage et un peu plus haut, la côte. Ici, les voitures pouvaient s'arrêter facilement, repartir facilement.

Bien sûr, il y en avait qui, lancées à toute vitesse, débouchaient avec la menace de vous exterminer si vous ne reculiez pas à temps sur le bas-côté ; mais de temps en temps, la vue des deux bottes de muguet qu'il présentait au bout de l'un et l'autre bras tempérait l'allure fougueuse d'une belle voiture qui, doucement, gentiment, venait à lui, telle un bon chien à qui l'on tend un morceau de sucre.

— Oh, ce qu'ils sont beaux !

C'était à chaque fois la même exclamation. Et on semblait trouver que ce n'était pas cher du tout.

— Oh, ils sont superbes ! s'écriaient ces belles dames penchées aux portières des voitures.

Et lui d'ajouter :

— Sentez comme ça sent bon, Madame.

Alors la dame demeurait un instant les paupières baissées — des paupières nacrées, frangées de longs cils noirs — sur le bouquet — offrande ou prière — que la vieille main sale et meurtrie dédiait à son fin visage.

Parfois la dame refusait ce qu'il lui présentait, le faisant approcher un peu plus de la voiture pour choisir elle-même dans la sacoche qu'il portait en bandoulière un bouquet qui lui paraissait encore mieux fait ou plus touffu.

Deux bottes, trois bottes — et des fois on lui laissait la monnaie.

— Merci, Messieurs-Dames ; mon muguet vous portera bonheur.

La vitesse arrachait la voiture et l'emportait dans un grondement aussitôt atténué par l'éloignement, aussitôt renforcée par l'irruption d'une autre voiture.

Alors, passant la main sur la sacoche, ainsi qu'une bête qui lustre ses poils, il pensait en ébauchant un sourire :

— Si ça continuait comme ça...

Vite, il reprenait sa position sur le bord de la route, les bras levés, se penchant et faisant un pas en avant, ou reculant d'un pas sur le bas-côté lorsqu'il sentait la séduction de ses bouquets flancher devant la vitesse aveugle de la voiture qui avait surgi. Car, en vérité, ce n'était guère facile d'en accrocher une.

Mais depuis un moment c'était devenu pour lui un sport, et il marquait des points.

De sorte qu'il n'avait pas remarqué la fourgonnette qui s'était arrêtée à quelque distance derrière lui : une fourgonnette noire, ressemblant à un bourdon, avec toutes les couleurs de la forêt et des bords de la route prises à sa carapace émaillée, et sa longue antenne qui vibrait nerveusement, esquissant dans l'air des tracés éblouissants.

Deux gendarmes en étaient descendus, avec des uniformes bleus, des képis et des bottes si bien ajustés, si reluisants qu'on eût dit des jouets tout neufs échappés des vitrines d'un grand magasin.

Il ne les avait pas vus.

Et lors même qu'il les aurait vus ?

Or, voilà que tout à coup, il entend derrière lui :

— Dites donc, qu'est-ce que vous foutez là, vous ?

A vrai dire, il n'a pas peur des gendarmes : il n'a jamais tué ni volé, comme il se dit souvent.

Seulement, il n'en pense pas moins que c'est toujours de mauvais augure lorsqu'on les voit venir, à plus forte raison lorsqu'ils vous apostrophent de la sorte.

Alors, il se retourne, les bouquets levés au bout de ses bras.

— Moi ? dit-il.

— Comment vous ! repartit l'autre gendarme qui venait derrière. On vous demande qu'est-ce que vous foutez là.

— Mais, mon Brigadier, ... je ne...

— Avez-vous une pièce d'identité ?

— Mais je ne faisais rien, mon...

Ses deux bras étaient retombés le long de son corps tels deux branches frappées par la foudre, et du coup les deux bouquets semblaient avoir perdu leur éclat.

— Je vous dis de me donner vos papiers, répète le gendarme.

Alors, ayant remis les deux bottes de muguet dans la sacoche, il dégage de sa poitrine le revers de sa vieille veste pour, de l'autre main, retirer de sa poche intérieure quelque chose pareil à un paquet de feuilles pourries qu'il ouvre et compulse avec ses doigts qui s'énervent, sous le regard impatient des deux gendarmes.

— Voilà, Monsieur mon Brigadier.

Le gendarme retourne la carte, la scrute en retroussant ses lèvres pour déchiffrer une écriture à demi sombrée sous la crasse et presque effacée par l'usure. L'autre gendarme s'approche, et par-dessus l'épaule de son collègue lit la carte d'identité ; puis voilà qu'il sort de sa poche un épais carnet à couverture de moleskine noire.

— Mais je ne faisais rien de mal, Monsieur le Gendarme.

— Où habitez-vous ?

— Pardon, Monsieur le Gendarme ?

— Je vous demande où ce que vous habitez.

— Dans le village.

Il montrait Barbizon, qu'on ne voyait pas, mais qui était tout près, deux kilomètres à peine par la route, ou bien au bout du petit chemin qui partait de l'autre bord de la route.

— Chez qui, dans le village ?

— C'est-à-dire, Monsieur le Gendarme, chez les gens pour qui je travaille de temps en temps.

— Et chez qui travaillez-vous actuellement ?

— C'est-à-dire que, pour le moment, on n'embauche guère de la main-d'œuvre saisonnière, à cause de cet hiver qui n'en finissait pas. Mais il y a pas mal de gens qui m'ont déjà retenu. Vous pensez bien qu'avec le retard qu'on a, y aura pas mal de pommes de terre nouvelles à ramasser dans le pays de par ici.

Le gendarme, qui avait tiré du repli de la couverture de son carnet un petit crayon garni d'une virole nickelée, écrivait, et continuait d'écrire, glissant de temps en temps un coup d'œil sur la carte que tenait son collègue.

— Mais je n'ai rien fait de mal, Monsieur le Gendarme.

Et comme le gendarme, imperturbable, continuait son écriture :

— Mon Dieu ! mais qu'est-ce que j'ai donc fait de mal ? Vous ne croyez pas que ce n'est pas trop avoir le guignon ?...

— Vous n'avez pas le droit de vendre le muguet de la forêt, lui répliqua un des gendarmes agacé ; vous le savez bien.

— Je n'ai pas le droit ? Mais le muguet, il est à tout le monde, dans la forêt.

Et l'autre, celui qui écrivait, levant son crayon :

— Justement, c'est à tout le monde, mais lorsque vous le prenez pour le vendre, c'est comme si vous voliez le public. Vous ne comprenez pas ?

Cela dit sans élever la voix, avec un regard froid.

Déjà les enfants et quelques grandes personnes qui se trouvaient de ce côte-ci de la route s'étaient rapprochés ; et c'est en se tournant vers eux qu'il répétait, de plus en plus exaspéré :

— Enfin, qu'est-ce que j'ai fait de mal ?

— ... Sans compter les accidents que vous risquez de provoquer avec vos singeries sur la route, reprit le gendarme.

Le gendarme lui rendit sa carte.

— Je vous jure, Monsieur le Gendarme, que je ne savais pas que c'était défendu, puisque la semaine dernière encore tout le monde...

— Oui, le 1er Mai seulement la vente est autorisée. Inutile de faire l'andouille.

De l'autre côté, on le voyait faire des gestes, parler en se courbant, se frappant la poitrine, devant le gendarme qui avait l'air de faire : « Bon, bon, nous verrons ça », en remettant le carnet dans sa poche.

Tout le monde regardait ; même ceux qui, assis sur les rochers ou allongés sur l'herbe, pas bien loin, affectaient une fausse indifférence.

Le flot délirant des autos continuait à couler.

Tout à coup, on le voit qui distribue ses bouquets : un à celui-ci, deux à cette dame-là, et puis encore deux à la fois à un gamin qui aussitôt repart en courant, et les uns se précipitent vers lui tandis que d'autres s'enfuient en criant :

— Maman ! Papa ! Regarde !

Ceux de l'autre côté de la route ne parvenaient pas à traverser à cause de la rapidité avec laquelle se succédaient les voitures. Ils étaient bien quatre ou cinq, qui prenaient leur élan, puis se rétractaient, jusqu'au moment où, profitant d'un intervalle, ils partirent tous comme une meute, pendant qu'une dame affolée criait :

— Jean-Claude ! Jean-Claude ! Ah mon Dieu !

Mais c'était trop tard.

La sacoche au muguet était vide.

Le bonhomme maintenant pestait, trépignait, jetait sa casquette pour la ramasser en lançant ses bras dans toutes les directions, comme s'il eût voulu voler en éclats.

Les enfants, stupéfaits, s'écartaient, de peur peut-être qu'il ne fût brusquement devenu méchant ; mais une dame alla vers lui et dit :

— Ils sont vraiment jolis, vos muguets ; merci pour le beau bouquet que vous avez donné à ma petite-fille.

Elle lui montrait la botte de muguet qui, délicatement tenue entre ses doigts, était devenue une véritable parure. Mais il ne l'écoutait pas.

— Ne pourriez-vous pas me dire quel crime j'ai fait ? criait-il.

— Tenez, disait la dame, prenez ça.

Et, voyant la pièce qu'elle lui tendait, il protesta :

— Gardez votre argent, Madame. Je suis un vagabond, un gueux, comme ils disent. Je n'ai pas de famille, je n'ai pas le droit de manger.

— Oh, dit la dame, ne vous en faitez pas, allez !

— Je n'ai pas droit à l'hospice, poursuivait-il. Il n'y a que la prison qui soit faite pour moi. La prison seulement, vous entendez ?

Bravant ses gestes désordonnés, la dame parvint à glisser la pièce dans la poche de sa veste et s'en fut, en se caressant le nez avec le bouquet de muguet.

Alors, en maugréant, il longea le talus d'un pas hésitant et mal assuré, puis se laissa tomber sur l'herbe et demeura là, recroquevillé, écrasant son visage dans ses mains.

Il ne sanglotait pas.

Il se pelotonnait de plus en plus et, par moments, laissait échapper un grognement, à la manière d'une bête blessée qui perd tout son sang — ou d'un gueux, d'un vagabond, cuvant son vin, là, sans vergogne.

Mais on ne faisait plus guère attention à lui.

La clairière avait pris l'aspect d'une grande fête champêtre où les arbres coiffés de soleil jouaient du cuivre et de la cornemuse.

LA BROCANTE DE POÉSIE

LA BROCANTE DE POÉSIE

On ne se souvenait plus qu'il avait été jeune et qu'il était beau lorsqu'il allait dans tous les petits pays à l'époque où la vigne a besoin qu'on soit nombreux parmi ses grappes — et joyeux.

Et quand il jouait à la pétanque devant le Café de France, en face du temple ! Alors ce n'était pas le jeu qu'on suivait : on le regardait jouer. Pour mieux dire, on regardait jouer son corps.

Il avait les gestes et les postures de ces Espagnols qui bricolent et coltinent par-ci, par-là, et qui, certains soirs, arrivent au Café de France ; et c'est rare qu'ils ne se mettent pas à danser, les hommes et les femmes.

Ils frappent d'une main dans la paume de l'autre main, ils piétinent le parquet par saccades, ils virent d'un brusque mouvement d'épaule qui fait tourbillonner les jupes des femmes en plis affolés et voltiger leurs peignes et leurs boucles d'oreilles. Et puis, quelques coups de talons redoublés, comme pour dire : « Non, non, non et non » qui font cascader les cheveux des hommes sur leur front tandis que leurs yeux lancent des éclairs de violence et de volupté.

— Olé ! Olé !

Certes, lui, il leur ressemblait un peu.

C'est assez souvent aussi qu'on le surprenait dans le Gardon. Tout nu dans l'eau ! En général vers les onze heures midi, avec sa peau qui renvoyait le soleil comme une glace. Et on racontait que même les gardes se délectaient de le voir plonger, comme s'il respirait dans l'eau, pour fureter les creux des rochers. Et lorsqu'il remontait, c'était avec un cabot allant jusqu'à cinq livres parfois.

Il était toujours dans le soleil.

On se retrouvait avec lui à l'Olivier, à Corbès, ou du côté du Poulverel, au ramassage des châtaignes ; puis, quelque temps après, ça se pouvait que ce fût chez Agnéli qui aime encore que sa maison soit pleine d'amis, certains soirs. C'était pour manger les premières châtaignes en buvant de la piquette. La veillée des afachas. On fait rôtir les châtaignes dans une poêle percée qui a un manche qui n'en finit plus, et c'était lui qui empoignait le manche pour faire sauter vers le plafond toute la poêlée et la recevoir, telles les crêpes de la Chandeleur.

— Tchaf !

Puis le mistral se mettait à souffler : il avait disparu.

Si son nom revenait dans une veillée — car c'était différent, malgré tout, lorsqu'il n'en était pas — quelqu'un disait :

— Ça faisait un moment que je n'avais pas eu vent de lui, et puis, d'un coup, hier, je l'ai vu qui se baignait dans le Gardon. Fallait le voir qui cassait la glace pour nager ! Un vrai canard sauvage.

— Mon Dieu !

— C'est bien dans ses habitudes, allez.

Et on continuait de parler de lui un bon moment. On ne tarissait guère de parler de lui.

Autrement, on ne le voyait pas. Personne ne savait au juste où il se trouvait.

Il y en avait qui racontaient :

— Voyez-vous, il n'a ni père ni mère, mais dans tous ces petits pays, par-là, se peut qu'il ait de la famille.

Des vieux surtout, ils disaient. Un oncle du côté de Sainte-Croix-de-Caderle, sa marraine à Thoiras. Il devait aussi avoir deux vieilles qui vivaient ensemble — à moins que l'une ne fût morte depuis. On les voyait dans le temps qui venaient à la foire. Et peut-être encore sa grand-mère. Aux Aygladines, s'il fallait en croire Auguste.

— Aux Aygladines ? Mon Dieu !

Les oiseaux ne s'y posent plus, aux Aygladines ; il n'y a rien à becqueter.

— Peut-être le pasteur de Mialet qui y monte deux ou trois fois l'an pour ses réunions bibliques.

— Et encore, c'est parce qu'il est assez jeune ; mais un vieux ne s'y risquerait pas.

Mais de toute façon, il devait faire un tour du côté de tout ce monde-là, les hivers.

Car il était arrivé des fois qu'on avait aperçu d'assez près une grande cape que le vent malmenait dans les chemins et, à la démarche qui était très reconnaissable, on s'était dit :

— Ce serait le diable si ce n'était pas lui.

De fait, quand il arrivait, de jour ou de nuit, c'était toujours une surprise; et parfois même, il faisait peur, n'ayant pas été tout de suite reconnu. Puis c'étaient les embrassades, les effusions.

— Comment allez-vous, ma tante?

— Oh! tu sais!...

La maladie, la fatigue : la vieillesse, quoi.

Et puis, pour comble de malheur, nous avons eu un été si sec! Ma citerne coule, et c'est des tas d'argent que le Ferdinand il demande pour y mettre deux cuillerées de ciment.

Et ça n'avait même pas été le 15 Août que la source était déjà tarie.

— Oh! si tu avais vu l'état de mon jardin cette année! Une misère. Enfin parlons plus de tout cela. Dieu soit loué, te voilà... Alors, qu'est-ce que tu deviens?

— Moi, eh bien, ça va, quoi.

Oh! lui...

Il était arrivé les mains vides, mais au bout de vingt-quatre heures c'était comme s'il eût apporté tous les trésors des rois. Il avait fait du bois, il avait scié du bois, il avait bouché des gouttières, il avait cloué les pentures du volet qui brandouillait toute la nuit. Il avait ramoné la cheminée; après quoi il ressemblait à un Nègre — ou plutôt à un dessin de Nègre dans un album pour enfants blancs.

Les autres jours, c'était pour dégermer les pommes de terre dans la cave, rempailler le vieux fauteuil; ou bien c'était une paire de pantoufles qu'il découpait pour la vieille dame dans un pauvre chapeau de feutre.

Alors toute la maison sentait bon la soupe au lard, et la vieille le faisait grimper sur un escabeau pour lui ranger ses confitures comme il fallait : celles de cette année tout en haut, et celles de l'année passée ramenées à portée de la main.

— Ça, c'est des reines-claudes, disait-elle ; prends-les. Tu préfères la reine-claude.

Et des journées si bien remplies, que le soir la vieille s'endormait un moment dans son fauteuil, près du feu, pendant que lui, pour terminer son repas et se distraire, mangeait une marmitée de châtaignes, jetant une après une les écorces à la flamme, sans parler, le visage immobile et barbouillé de reflets.

— N'oublie pas de prendre ta brique, lui disait-elle avant de regagner sa chambre.

C'était toujours elle qui allait se coucher la première ; et lui, même lorsqu'il avait fini ses châtaignes, il restait encore là, longtemps, fasciné par le feu.

Elle ne se plaignait plus, la vieille. Elle avait oublié ses misères.

Elle venait, elle allait, elle se dandinait sur place comme de coutume, mais différente en elle-même à cause de son plein contentement.

Entre-temps, il soignait les poules et les lapins ; puis il passait le rateau dans le jardin, ce qui fait qu'on ne tardait pas à entendre dire par les enfants d'école, ou dans la salle à boire, chez Hortense, que le neveu de la vieille, là-haut, était revenu.

— Oh ! ça m'a l'air d'être un drôle, celui-là. Quand c'est la belle saison, quand il y a du travail, on ne le voit pas.

— C'est peut-être chaque fois qu'il a fait du vilain quelque part qu'il vient là, vous ne croyez pas ?

— Moi, c'est je crois plutôt pour voir si la vieille n'aurait pas un magot ou quelque bijou de valeur, des fois.

— C'est peut-être Monsieur Louis qui voit juste ! s'écriait Hortense. Toute façon, un de ces jours...

Mais comme il ne sortait guère, on l'oubliait aussi vite ; et c'est tout bêtement qu'un jour l'un faisait remarquer :

— Mais le fameux neveu, là, il n'y est plus.

— Ah ! mais, au fait !

On ne savait même pas depuis quand.

Son oncle de Sainte-Croix-de-Caderle était sans doute son préféré ; ou bien est-ce qu'il préférait Sainte-Croix-de-Caderle, qu'on ne voit pas la plupart du temps, l'hiver, même de Saint-Jean, et d'où on ne distingue même pas Saint-Jean ; si bien que c'est une espèce d'îlot que le brouillard isole, et dont chaque maison (on est six ou sept feux, comme on dit) se sent comme l'unique habitat !

Au reste, chaque fois qu'il y allait, il ne voyait guère que son oncle.

C'était un retraité des chemins de fer. Il vivait seul dans une maison qui passait pour des plus anciennes et qu'on disait pleine de livres.

— Et c'est tout plein de livres, disait-on avec un mélange de méfiance et de moquerie.

Et c'est qu'il les avait, paraît-il, tous lus ! A se demander où il avait pris de la cervelle.

Bien que son installation dans le village fût relativement récente, du fait qu'il n'était pas, à vrai dire, du pays et avait passé sa jeunesse dans les villes, on savait qu'il ne comptait pas moins de quatre mariages dans sa vie — et autant de divorces.

Evidemment, on racontait bien des choses là-dessus. Pourtant, tel qu'on le voyait, ce n'était pas le mauvais bougre. Mais cela n'en faisait pas moins un peu peur ; quatre mariages ! Surtout quand on y songeait en même temps que cette quantité de livres qu'il lisait encore, et qui avaient pu faire, autant dire, des incompatibilités avec chacune de ses femmes.

Or, à présent, bien qu'il prît beaucoup plaisir à badiner avec ces dames à la lisière des jardins, on prétendait — et selon toute apparence, c'était véridique — qu'il avait juré que jamais plus femme ne viendrait jeter le trouble dans son existence, ni mettre les pieds dans sa maison.

— Des superstitions, tout ça.

N'empêche qu'on y prenait garde, car il avait déclaré — et Monsieur Benoît affirmait l'avoir entendu :

— Je prendrai mon fusil, hé.

Lorsqu'il arrivait chez l'oncle de Sainte-Croix-de-Caderle, c'était le beau milieu de l'hiver. A Saint-Jean, comme il l'avait vu en passant, la glace reliait l'une et l'autre rive du Gardon, et l'air qui descendait de la vallée faisait dire :

— Sûr qu'il a neigé à Langeac.

Chez l'oncle de Sainte-Croix-de-Caderle il y avait toujours beaucoup moins à faire que chez les autres. C'est que l'oncle était encore robuste — et méticuleux surtout. Très vieux garçon.

On commençait par ranger les livres. C'était à peu près toujours les mêmes ; mais c'était comme un jeu de construction que l'oncle faisait, défaisait, et alors, il fallait trouver une nouvelle combinaison.

— Alors tu vois comme c'est heureux que tu sois venu ? Figure-toi qu'une idée me dit d'enlever tous ceux qui sont dans cette pièce et de les répartir dans les autres pièces. Je ne sais pas ce que tu en penses, mais comprends-tu, ici, c'est la pièce par où l'on entre ; alors me semble qu'on ne devrait montrer rien qui me soit intime.

— Oh ça sera vite fait !

Ils s'y affairaient pendant des jours, l'oncle et lui.

Puis le calme revenait.

Maintenant l'oncle était tout à ses livres et lui aussi, il lisait. Tous les livres qu'il voulait et qu'il choisissait d'après leurs titres, le format, ou parce que la couverture ou la reliure lui plaisaient.

Alors, la maison ne se manifestait que par la fumée qui sortait de la cheminée, ou la lumière qu'on pouvait apercevoir dans les joints des volets, jusqu'à la nuit avancée. Même, il était déjà arrivé qu'un soir c'était Noël sans que ni l'un ni l'autre s'en fussent aperçus.

Chaque année, cela recommençait — et à peu près à la même époque. Pourtant, ni à Sainte-Croix-de-Caderle, pas plus qu'à Mialet ou à Thoiras, de l'aveu de chacun, on ne s'attendait pas à le revoir jamais.

— Comment donc, parrain ?

Il protestait.

— Bien, à la façon que tu es parti la dernière fois, je croyais que tu n'étais pas content. Et je me suis fait du mauvais sang!... Dis, qu'est-ce qui s'est donc passé ?

Car voici :

Un matin, ou dans le courant de la journée, on avait remarqué peut-être qu'il se hâtait sur un travail qu'il avait entamé depuis quelques jours ; ou bien il restait là, des heures, assis près de la table. Des fois aussi, le soir, au lieu d'écorcer et de manger des châtaignes rôties sous la cendre, il avait pris les sabots de la vieille et, avec son couteau de poche et un outil qu'il s'était fabriqué avec un clou, il y sculptait des rameaux d'olivier comme il y en a sur les pannetières. Gentil comme à l'ordinaire, mais pas tout à fait le même ; ça se voyait.

Ou bien, il sort ; et quand il revient, il porte un bouquet de mimosa. Alors, il faut absolument qu'il trouve au grenier, là-haut, dans le froid, une poterie d'Uzès pour qu'il l'arrange sur la table, qu'il a astiquée de toutes ses forces.

Et puis, l'instant d'après, on ne le voit plus.

On se dit :

— Peut-être dans le jardin.

On attend.

Eh bien, on attend un an, tout en se demandant s'il reviendra jamais. Et on a vergogne de l'avoir laissé partir ainsi, sans un pot de confiture, sans un pâté de lapin.

Mais c'est la faute à qui ?

*
**

Lorsqu'on le rencontrait du côté de Montsauve, c'était déjà le beau temps. Sa chemise bleue était ouverte sur sa poitrine où lui-même aimait à passer la main comme s'il eût caressé le pelage d'une bête ; son pantalon était toujours retenu par cette taillole de satinette noire qu'il était le seul à porter dans tout le pays ; et le soleil était si passionnément mêlé à ses cheveux que cela aurait bien pu se faire qu'il s'en fût savonné la tête.

Et le premier qui le rencontrait :

— Tiens ! Mais où étais-tu comme ça ?

Et lui, montrait tout le pays devant lui, comme s'il eût mal compris...

Ou bien :

— J'arrive à Tornac, là-bas.

Il disait cela dans la lumière, pendant que vous regardiez ses dents qui étaient rangées larges et serrées entre ses lèvres larges et épaisses qui faisaient penser à des tranches de pastèque. Et on regardait ses yeux qu'il avait très bleus sous des sourcils en broussaille ; et il avait aussi quelques boutons sur les joues et des poils fous au menton.

Toujours un beau sourire.

Puis il vous quittait, emportant son beau sourire, telle une chose qu'on est content d'avoir vue et qu'on regrette ; l'emportant alors vers le premier qui, à sa rencontre, s'exclamait de nouveau :

— Tiens ! te voilà. D'où viens-tu comme ça ?

Et lui, avec son geste en avant :

— Je vais à la Pradelle. Ils embauchent pour les pommes de terre nouvelles.

Un brave gars — et Dieu sait le prix de ce que cela veut dire par ici ! Oui, sans contredit, un brave gars.

Or, maintenant on haussait les épaules ; et puis, seulement :

— Oh ! ce n'est pas au mauvais bougre. Mais que voulez-vous ?

Il a fait des bêtises.

— Voilà !

Des choses qu'on n'eût peut-être même pas pardonné dans une famille. Il n'avait pas de famille, raison de plus : tout le monde avait résolu de lui en tenir rigueur comme il fallait.

Ce n'est pas qu'on soit tant méchant par ici, mais c'était dans son intérêt à lui.

D'abord — et sans doute le point de départ de cet état où il se trouve — il n'avait pas voulu épouser cette jeune fille-là. Elle n'en pinçait que pour lui. Alors qu'elle ne sortait guère, étant de bonne famille, à la fin on la rencontrait qui courait partout pour le surprendre et lui glisser des lettres. C'en était à croire qu'elle perdait la tête. Et, en plus de ça, c'était un parti ! Fille unique ! Et son père possédait la plus belle vigne du Poulverel. Et sa marraine (elle était veuve et sans enfants) lui aurait laissé la grande maison qu'habite à présent Charron.

Il serait maintenant quelqu'un.

— Assurément.

Eh bien non ! Lorsque ce fut tellement fort que tous ceux qui le rencontraient essayaient de lui faire entendre raison (certains ne se gênaient pas pour lui dire que ce n'était pas bien de faire souffrir et d'humilier ainsi une personne de qualité), il disparut.

— Mais complètement, cette fois.

Et pendant ce temps... La pauvre fille !

Non, elle ne mourut pas de chagrin.

Mieux aurait peut-être valu pour son âme qu'il en eût été ainsi.

Son père et sa belle-mère l'envoyèrent à Marseille chez des parents pour passer quelques jours — histoire pour elle d'oublier un peu. Mais ce fut une idée du diable, car c'est ce qui leur vaut le petit qu'elle a eu.

— Oui, c'est à cause de cela qu'elle est devenue une fille-mère.

Le père du petit ?

Les uns ont dit que c'est un Nègre. Il y en a qui disent un Arabe. Aujourd'hui c'est un Hindou, hier c'était un Turc. Le fait est que ses cheveux sont très frisés. A l'école les autres l'appelaient Bamboula et l'instituteur avait un mal fou pour arranger tout cela.

— Enfin, cela s'est arrangé tout seul.

Le voilà qui est un beau jeune homme, gentil à ne pas imaginer, et les filles n'en ont que pour lui.

La deuxième bêtise... Tout le monde en avait été témoin.

D'abord, il y eut la politique, les élections, la nouvelle municipalité...

Et un beau jour on le retrouva dans les bureaux de la mairie, la plume à la main, moulant du matin au soir des lettres à l'encre noire sur un gros registre. Ce qui fit aller pas mal les langues, d'ailleurs.

Et c'est là, paraît-il, que lui vint cette manie d'aller toujours regarder dans les livres et les vieux papiers des caves et des greniers la vie de ceux qui étaient là avant, et avec qui, nous autres, on n'a rien à voir, puisqu'ils étaient tous nobles, à ce qu'on dit, et avaient tout l'argent qu'ils voulaient, et vous ont finalement laissé pour les honorer plus de ruines et de dégâts que toute la grandeur dont on s'enorgueillit.

— Il lisait donc tout cela, et on n'avait qu'à lui dire : « La Tour de Pézenne », le voilà parti dans l'Histoire, avec des défilés d'Albigeois, de Dragons du Roi, et Richelieu dans sa grande robe avec sa barbiche pointue.

Il lisait aussi des livres qui racontaient pareillement la vie de la mousse, des champignons, et quand il allait dans les bois, ce n'était pas tant pour en ramasser une bonne provision que pour les voir, les appeler par leurs noms ; et il épiait des heures durant comment ils s'y prennent pour se multiplier.

— Vous vous rendez compte ! des champignons ! Mais c'est du vice !

Aussi on s'attendait fort à ce qu'un de ces quatre matins le Maire, bien qu'étant son protecteur, le secouât. Pensez-vous ! On était bien bêtes ! Ce fut lui qui prit congé du Maire. Mieux, il resta chez lui ou dans les garrigues. Tout simplement. Cela durait depuis une semaine. Le secrétaire de Mairie alla le voir, lui dit : « Mon vieux, sois raisonnable, voyons. » Il répondit qu'il n'irait pas et que c'était sérieux.

— Voilà.

Mais la bêtise se paie — ou bien, est-ce qu'il avait déjà eu quelque chose de dérangé dans la tête ! — Et peu à peu il est devenu complètement défait.

Il a laissé pousser sa barbe. Et puis, toujours au bord de l'eau. Mais on croit qu'il y passe plutôt son temps à lire.

— Ah oui, toujours cette manie !

Seule chose de bien — pour être juste — il ne se saoule pas ; et il n'a pas son pareil pour la cueillette des olives, ni pour faner, ni pour vendanger.

— Il fait son travail sans dire un mot à personne. Mais quand on lui parle, faut le reconnaître, il répond gentiment.

N'empêche que ç'avait été une belle rigolade, le jour où Paul Girard avait rapporté qu'il se prenait pour un grand poète.

Un poète !

Au fond, tout cela était bien triste.

Alors on secouait la tête, on haussait les épaules...

Alors personne depuis ne s'occupe de lui ; mais son visage, qu'on ne regarde plus, a une belle barbe frisée, et cet air ébloui qu'il promenait dans le soleil quand il était jeune. Il a toujours sa chemise et sa ceinture de satinette noire, bien que sa taille soit un peu plus forte. Ce qui fait penser que ce n'est pas d'aujourd'hui qu'il a le cerveau qui brimballe. Il va, il vient, il était parti, il est reparu, qu'importe.

Cependant on eut vite fait de remarquer sur sa porte la pancarte où c'était écrit :

Marchand de poésie

Des lettres gris clair sur une petite planche peinte en noir et fixée par quatre clous.

Il y eut de quoi rire !

Puis on eut beau les trier les uns après les autres, impossible de deviner lequel parmi les plus rigolos avait pu imaginer de lui faire une telle farce. En tout cas, c'était une trouvaille !

Le plus drôle était que lui, il n'avait pas du tout l'air de s'en soucier. Comment s'il n'avait rien vu. Ou bien c'est qu'il ne comprenait pas.

Et l'enseigne ne fut pas bougée.

Mais quand arriva la saison où même ceux qui ne tiennent pas boutique ont à cœur que leur pas de porte soit balayé chaque matin et d'y ranger des pots de géranium et du laurier-rose dans des cubes de bois peints en vert, Georges Azauric, qui était son voisin, à côté, dit bien haut, un matin, qu'il en avait marre.

— Parfaitement !

Il était fâché tout rouge, Georges Azauric.

Parce que c'était déjà bien assez d'habiter porte à porte avec un hurluberlu pareil pour que des plaisantins le fissent remarquer avec leur espèce de bonnet d'âne.

Mais c'est à Madame Azauric surtout que cela déplaisait.

— Et j'avoue, disait-elle, que je n'étais pas fière lorsque, l'autre jour, une voiture s'est arrêtée au Café de France et après, le Monsieur est venu regarder ce qui était marqué sur la porte, et il souriait doucement, et j'étais là qu'il regardait en même temps.

Alors, Georges Azauric :

— Vous jure que si j'étais conseiller municipal, comme je l'ai été pendant dix ans, il y a longtemps que le garde de police aurait déjà arraché cette histoire-là. D'ailleurs, si maintenant on avait une municipalité à la hauteur...

Le pays, comme on voit, est tout coteaux, collines et rochers ; et ce sont les faïsses où la terre qui glissait est contenue depuis des temps comme un torrent, avec des barrages en pierres sèches, pour qu'on pût y planter cette vigne qui, ailleurs, accuse tous les défauts, et qui a le mérite ici d'être opiniâtre, se passant même de sulfatage, et qui donne un petit vin sans renom, mais dont on est fier lorsqu'on le fait goûter. De la terre contrainte, en somme, de la terre attachée encore pour qu'elle puisse laisser prendre l'olivier.

En bas, c'est la vallée, où l'on se donne un mal de chien pour avoir quelques parcelles de tabac dans une terre fine et plate que le Gardon arrache et abandonne plus loin, de temps en temps, soit en novembre, soit en mars.

En somme, un pays pauvre.

Et sans joliesse.

Un pays sévère, où ce qu'il y a de meilleur n'est pas commercial comme on dit, mais quelque chose qui, au contact du sol, vous passe lentement dans le sang. Oui, c'est l'impression que cela donne.

Seulement, il faut que ce soit le hasard...

Même d'y aller, c'est un hasard : ce n'est pas sur la nationale 110. Mais alors, le cas échéant, tous s'y arrêtent volontiers et descendent de leur voiture, avec leur casquette de jockey en toile blanche, leur femme en short, et leurs lunettes de soleil, s'installent à la terrasse du

Café de France qui prend la moitié de la place — et ça fait plaisir.

Le Monsieur, qui a les cheveux poivre et sel, a commandé un pastis, et la dame :

— Eh bien ! moi, je prendrai de l'orgeat ! de l'orgeat à l'eau.

Elle a les ongles renforcés de laque rouge et, grâce à l'huile solaire, un teint d'Hawaïenne.

— Bien, Madame, dit la serveuse.

C'est la fin de la matinée, et l'ombre des platanes, sur la place, est toute trouée par des ronds de soleil.

Et pendant qu'elle arrive avec le plateau, Mademoiselle Lucie pense que ces Monsieur-Dame vont ensuite partir pour Lédignan et déjeuneront à Alès.

— Voilà Monsieur-Dame ; l'eau est bien fraîche.

Car ici, cela compte pour beaucoup — surtout en cette saison.

En face, les vieillards de la Maison de Retraite sont venus, comme chaque matin, pour respirer l'air frais, et ils sont assis bien sagement sur les bancs et ne se parlent que tout bas, par intervalles. Ils regardent bouger les gens ; les mêmes de tous les jours, qui font les mêmes gestes aux mêmes heures et qui, en passant, les saluent avec les mêmes mots d'amitié. Mais c'est surtout les voitures qui les distraient, avec les gens qui en descendent, jettent un coup d'œil circulaire et vont au Café de France griffonner deux ou trois cartes postales près d'un verre de pastis à l'eau fraîche.

Justement, la dame a dit quelque chose à son mari, puis elle a bu le fond de son verre, elle s'est levée avec son sac à main, et laissant son mari à la table, elle s'est dirigée — les vieux la regardent — vers le bureau de tabac où un montant avec des cartes postales a été posé de chaque côté de l'entrée. Avec la main on fait aller en haut, ou dans l'autre sens et c'est le film de tout le pays qu'on a sous les yeux. Il suffit de tirer les images de son choix.

Comme a fait la dame lorsqu'elle rejoint son mari.

Puis elle écrit sur les cartes postales et les lui passe une à une pour qu'il y mette aussi sa signature, pendant que Mademoiselle Lucie est debout un peu plus loin, encadrée dans la porte, avec ses cheveux qui lui tombent sur un œil et qui brillent — comme c'est dessiné en couleurs sur un joli carton affiché à la pharmacie à côté, pour la réclame de la brillantine.

Alors le monsieur fait signe de venir à Mademoiselle Lucie, et il paie, et cela se voit qu'elle est très contente, Mademoiselle Lucie. Pas seulement à cause du pourboire, mais parce que c'est aussi sa nature d'être toujours contente.

Puis, ils sont restés un moment sans se parler et la dame a dit :

— On pourrait ptêt' faire un tour. Je mettrais ces cartes à la boîte...

Lui, jette un coup d'œil à son bracelet-montre :

— Oui, on a largement le temps.

Et Mademoiselle Lucie, comme si c'était sa chanson préférée :

— Au revoir, Monsieur-Dame : Merci !

Ils ne s'attendaient pas à se retrouver aussi vite sur la même petite place.

— C'est drôle ! fait la dame.

Le monsieur reconnaît sa voiture, toujours bien rangée, capote baissée, et qui commence à s'emplir de soleil.

— Dans les grandes villes, poursuit-elle, pendant qu'on croit tourner en rond, on s'est déjà éloigné d'une bonne distance ; tandis que dans une petite ville lorsqu'on se croit perdu dans toutes ces ruelles, on est revenu à la même place. C'est charmant tout de même.

Et, tout à coup :

— Tiens, regarde-moi ça !

Il s'esclaffe :

— Ça alors, c'est le bouquet.

— Moi, dit-elle, je trouve ça charmant. On le raconterait à des amis, ils diraient qu'on se paie leur tête, n'est-ce pas ?

Tout en parlant elle s'est approchée, vers la gauche, de la porte pleine dont on ne distingue pas si elle a été peinte en son temps ou si c'est les années qui l'ont patiemment imprégnée de cette couleur de fer forgé qui fait qu'elle n'en paraît que plus lourde, fermée comme elle est, le temps rendant en épaisseur et en rugosité ce qu'il dévore.

— Tu vois, dit-elle, comme c'est dommage que nous ayons oublié l'appareil, parce que ça serait une photo à prendre.

Ils sont tous deux devant la plaque qu'ils relisent, qu'ils touchent ; et elle parle, parle, comme si elle lui proposait de charger la maison, du moins la porte, dans la voiture pour l'offrir à qui sait quel musée, ou à tel de leurs amis qui en serait enchanté, tandis qu'il sourit en coin.

Puis, sérieux :

— Qu'est-ce qu'il a voulu dire par là ? C'est peut-être l'écrivain du village... C'est curieux.

Et il répète en regardant les lettres qui sont gris perle sur la plaque peinte en noir, sur la lourde porte fermée :

— C'est curieux !

Et il sourit encore.

Alors, soudain, elle a une idée :

— Si on allait demander à côté ! On doit certainement savoir...

Elle s'est tue, car un pas est venu tout à coup derrière eux (ils tournaient le dos à la rue) et voici une main qui allonge une grosse clé vers la serrure, et une voix :

— Pardon, Madame.

Ils se sont écartés.

La clé et la serrure ont fait un bruit très discordant et la porte a grincé en se refermant.

Ils se regardent alors sans rien dire. Ils ont vu que l'homme a une barbe noire, courte, des espadrilles comme ils en ont tous par ici — mais des yeux dont on ne saurait dire combien ils brillent et sont grands.

Comme ils allaient s'éloigner, sur leur curiosité, voilà la porte qui grince de nouveau sur ses gonds, et :

— Mais si vous voulez entrer, Monsieur-Dame ; cela n'engage pas.

Un ton moitié courtois, moitié bourru.

Mais lorsqu'ils ont franchi le seuil et qu'il a eu refermé la porte, le voilà qui sourit ; et bien qu'il fasse plutôt sombre (ils ont du enlever leurs lunettes noires), on voit ses lèvres épaisses dans sa barbe qui brille, et ses yeux sont clairs et calmes, et profonds, tellement, qu'on n'ose rien dire, de peur de mal parler, de peur de déranger on ne sait quoi.

Alors, il va ouvrir une fenêtre qu'on devine dans l'obscurité, pendant que la dame prend la main de son mari et la serre bien fort; et, comme si c'était lui qui lançait la lumière dans la pièce, il dit :

— Jetez un coup d'œil, si cela vous intéresse.

Cela est arrivé si brusquement qu'elle a lâché la main de son mari qu'elle serrait dans le noir, et tous deux sont aussitôt devenus figures de cire, tandis que dans la lumière, tout l'espace est ébranlé silencieusement, semble-t-il; et c'est comme si une multitude qui n'a jamais existé se trouve là, dans l'espace de la pièce, qui n'a plus de dimensions, car on ne saurait dire si cela ressemble aux profondeurs de la mer ou bien si c'est une forêt où les bourgeons éclatent, où des fleurs s'allument, des feuilles se décrochent sans qu'on les voie toucher terre — car le sol n'existe pas non plus.

Alors ils regardent l'homme, et c'est lui qui ressemble à une statue de cire et dont les yeux regardent — bleus, clairs et si calmes — sous son front qui est une large lueur mate.

Alors, le monsieur, avec la crainte de poser une question absurde :

— C'est vous qui les avez... comment dirais-je ?...

— Oui, dit l'homme, c'est moi qui les ai tous fabriqués.

Ce disant il fait un pas, et voilà toute la pièce qui, silencieusement, l'espace d'un grand battement de cil, se transforme. Ce qui semblait être fixe a basculé, ce qu'on aurait cru immobile s'étant mis à bouger. Et l'on dirait que c'est la lumière et l'ombre de la pièce qui tressaillent.

— Vous pouvez tout regarder, dit l'homme. Suffit de faire attention aux fils ; on ne les voit pas toujours.

Alors ils ont fait un pas sur le côté, puis un pas en avant, à la suite de l'homme, et par eux maintenant tout à pivoté. Ça s'est penché là-bas, tandis que ça se redresse par ici, l'éclairage changeant de même — dans le silence.

Alors elle s'est exclamé tout bas :

— Oh !

Lui ne dit rien. Il regarde, et ce que l'homme voit dans la façon dont il regarde, c'est qu'il n'a pas encore compris comment ni pourquoi. Alors il explique :

— Oui, ça me plaît, et chaque fois qu'il me vient une idée, j'en fais une. Tenez ! Celui-là, voyez-vous, c'est cette nuit que je l'ai fait. Je n'avais point sommeil. J'étais dans mon lit, et ça m'est venu dans le noir. Alors je me suis levé ; dans ma chambre j'ai tout ce qu'il faut, et je l'ai fait.

Il l'a suspendu par un fil d'acier qu'on ne voit pas et lorsqu'on le regarde, c'est, en effet, comme si on a fermé les yeux dans le noir et que des sarabandes vous envahissent la tête, sous les paupières, si bien qu'on a la cervelle immense et pleine de mouvements dont les bruits sont un clignotement de couleurs.

— Et celui qui est à côté, à droite ?

— Ah ! C'est un jour qu'il pleuvait... Voyez-vous, c'est selon le temps, la saison. Selon moi-même aussi. Que voulez-vous ? On n'est pas toujours pareil. Et c'est pourquoi je les fais qui bougent, qui changent.

De temps en temps, il passait un doigt sur ses lèvres comme pour les dégager de sa barbe, puis ses mains restaient dans ses poches de pantalon, en sorte qu'il était debout, avec ses espadrilles, sa ceinture de satinette noire et sa chemise déboutonnée sur sa poitrine où les poils étaient drus et grisonnants et luisants comme des fils d'acier poli.

Et il y en a partout qui pendent à des fils presque à toucher le parquet (c'est pourquoi il n'y a pas de parquet) ou bien, ils sont tout près du plafond ; et il n'y a pas de plafond non plus. Des grands, mais il y en a aussi qui sont tout petits.

— Ce qui est extraordinaire, chuchote la dame (car ni elle ni son mari n'osent parler fort), c'est...

Elle se penche sans y porter la main, mais l'homme gentiment :

— Vous pouvez les toucher, Madame.

— C'est que, reprend-elle, du premier coup on ne voit pas bien de quoi c'est fait.

Puis elle regarde son mari qui ne dit rien et les renifle pour les mieux voir.

Et, comme elle fait remarquer, lorsque ça bouge ce n'est plus ce que c'était avant d'avoir bougé.

Tenez, celui-là, qui n'est pas suspendu et repose sur ses pieds !

— Les autres aussi, Madame, on peut les mettre ainsi. Oui, oui, parfaitement, sur un meuble, n'importe où... Comme vous voulez, Madame. Il y en a même qui ont plusieurs positions. Voyez !

En effet. Et chaque fois, même au repos, c'est différent.

Elle soupire.

Et pendant ce temps n'a pas cessé la multitude de mouvements dans l'air, dans la lumière, dans le silence. On croirait que tout va s'envoler, et tout reste là. Maintenant c'est comme lorsqu'il se met à neiger, puis il a suffi que le monsieur se soit déplacé, comme il fait en se tordant le cou pour ne rien heurter, et voilà que le tout a l'air de vous venir à la figure, tel un essaim multicolore.

— Oh ! dit-elle.

— Et vous les vendez ? demande Monsieur.

— Oh ! dit l'homme, c'est selon. S'il y a des gens que ça intéresse... Car, pour franchement vous dire, personne ne les a jamais vus, sauf Madame et vous.

— Oh ! fait la dame.

— Non, personne. Depuis que j'ai posé mon enseigne sur la porte — et il m'a fallu d'abord aller prendre une patente d'artisan — personne n'a allongé le cou pour voir. Et on dit que les gens sont curieux !...

— Les gens sont bêtes ! dit la dame.

— Les gens ont peur ! dit l'homme. C'est tout. Alors ils font semblant de rigoler... Mais c'est la peur. Et elle n'en est qu'à son commencement.

Il avait sorti ses mains de ses poches ; il parle en haussant les épaules, en écartant ses mains épaisses et qui paraissent douces ; et ses bras découverts jusqu'au coude sont forts et velus, de part et d'autre de sa poitrine qui laisse passer des poils par la fente de sa chemise. Puis il a replongé ses mains dans ses poches de pantalon en se cambrant, et il rit, et son rire a provoqué tout autour de lui une sorte de palpitation d'ombres et de lumières.

Alors quand elle eut fini de chuchoter avec son mari, elle dit :

— Et celui-là ? Le petit que vous m'avez montré, qu'on pourrait poser de trois manières différentes... Oui, c'est cela.

— Il vous plaît ? demande-t-il.

Ses yeux se sont mis à briller, avec un sourire qui perle dans sa barbe noire.

— Oh oui ! dit-elle.

— Mais ce serait combien ? demande le mari.

— Ah oui, mais au fait !... dit-elle vivement.

Pendant ce temps, elle jette un coup d'œil pour voir si le prix n'est pas indiqué quelque part ; et comme la réponse ne vient pas, tous deux lèvent la tête, interrogeant à nouveau du regard.

Alors, dans la lumière, ses yeux sont redevenus très bleus, très clairs, très purs.

— Il n'y a pas de prix, dit-il. C'est de la poésie...

Certains donnaient quelque chose, d'autres un peu plus, mais la plupart presque rien.
C'était de la poésie.

ADIEU PARIS

ADIEU PARIS

Il se tenait accoudé à une console, la tête penchée sur un verre qu'il enfermait dans le creux de sa main, tel un fruit ou un frêle oiseau tombé du nid.

— Pourquoi restez-vous à l'écart, lui demandai-je.

Il fit chavirer lentement sa tête et me répondit d'un ton las qui laissait transparaître de l'ironie :

— Vous venez vous réfugier auprès de moi ?

A peine entré, j'avais été submergé par la rumeur des voix et la fumée des cigarettes. Je me débattais, en quête d'un visage familier, avec des gestes modérés, au milieu d'un paquet de gens qui se coudoyaient, piétinaient et se dandinaient élégamment.

Enfin j'avais entrevu celle à qui je devais de me trouver là. Un plumet rose, tel un cimier, au-dessus de sa toque de velours noir, semblait affolé par les hochements de tête par lesquels elle répondait aux compliments.

Je n'eus qu'à me laisser porter par l'assaut qui montait vers elle. Elle me reconnut aussitôt alors que j'appréhendais de me nommer ou de lui rappeler :

— Nous avons fait connaissance la semaine dernière chez Alexandre Gaudoux ; merci pour votre invitation...

Elle me tendit une main qui, à cause des bagues dont elle était ponctuée, me fit, en la serrant, l'impression des petits cailloux qui craquent sous la dent lorsqu'on mange des lentilles. Mais à peine m'eut-elle jeté : « Ah cher ami ! comme c'est gentil d'être venu ! », je me trouvai lamentablement abandonné.

J'aurais dû prendre congé tout de suite. Mais par sotte obstination ou par je ne sais quelle curiosité désespérée, je demeurai jusqu'à l'instant où je m'aperçus que la gravitation engendrée autour de cette femme m'avait insensiblement rejeté au fond du salon.

Lui, c'est alors que je le remarquai.

— Ça n'a pas l'air de vous amuser beaucoup, me dit-il avec un signe du menton vers la salle.

— C'est que je ne connais personne, répondis-je pour excuser l'air effaré que je pouvais avoir. Il y a si peu de temps que...

Je m'attendais à l'inévitable question : « De quel pays êtes-vous ? » mais il reprit :

— Et vous ne buvez même pas !

— Il y a une telle presse devant le bar !

— Moi, dit-il, en me montrant le verre à demi enfoui dans sa main, on m'a collé ça juste quand j'entrais. Mais je ne supporte pas plus ces sortes d'apéritifs que je boirais maintenant les trucs qu'on me faisait ingurgiter pour les oxyures quand j'étais petit.

Il faisait chaud. On se sentait fondre et dessécher en même temps. On étouffait et on éclatait. C'est alors qu'il me dit :

— Avez-vous quelques minutes à perdre ? Eh bien, sortons. On ira prendre l'air et boire un verre.

Nous marchions depuis un moment le long du boulevard. Il me guidait. La pluie était tombée l'instant auparavant ; les trottoirs et le bitume mouillés s'embrasaient aux reflets des étalages et des enseignes lumineuses. Il me disait :

— Est-ce qu'à vous aussi la circulation et les foules qui se hâtent le soir donnent cette impression que la ville est en proie à une terrible hémorragie, qu'elle va être bientôt complètement vidée, exsangue ? Pourtant longtemps encore elle demeure fébrile et violente.

Finalement nous nous étions retrouvés près de Notre-Dame, parmi ces ruelles débonnaires qui, d'elles-mêmes, dans leur langage de gargouilles, de pleins cintres et d'ogives, racontent le passé.

Comme je regrette de n'être jamais retourné dans ce petit bistrot qui a le joli nom de l'oiseau de la paix ! Un tout petit bistrot, bas de plafond, aux murs dégingandés, tout enfumé, et volontairement mal éclairé avec des trognons de bougie fichés dans des goulots de bouteilles. On y causait comme des compagnons qui s'étaient déjà souhaité la bonne nuit et qui, en attendant que vienne le sommeil, échangeaient quelques mots, d'une voix monocorde.

Lorsque nous entrâmes, on nous fit signe de ne pas parler fort, à cause de celle qui chantait.

Sa chevelure blonde coulait de part et d'autre de sa tête, entre sa joue et son épaule, jusqu'à la guitare qui lui barrait la poitrine, et sur les cordes de laquelle ses mains voletaient et picoraient tour à tour, pareilles à un couple de tourterelles. A côté d'elle était assis un garçon qui fumait, les yeux fermés, comme pour tirer à lui seul tout le charme de la voix et les mots de la chanson. C'était sans doute une complainte paysanne, en un patois qui semblait conter l'histoire d'un amour malheureux.

Puis, ce fut au tour d'un jeune homme à l'accent anglo-saxon de chanter en français une ballade médiévale qu'un film venait de populariser.

Sur un simple geste, le patron, vêtu avec une stricte élégance qui dénonçait la sordidité artificielle de l'endroit, nous apporta du vin rouge dans des verres en forme d'éprouvettes, des biftecks-au-poivre-pommes-frites.

A six heures du matin, nous étions debout à un bar, dans le quartier des Halles, et buvions encore du vin rouge parmi ces gens qui, assemblés aux carrefours ou embusqués dans les cafés, passent des journées et des nuits à l'affût de leur chance.

Nous ne tarissions pas de tout ce qu'il nous restait à nous dire. Et ce que nous disions, nous ne l'avions peut-être jamais pensé auparavant ; si bien que nos paroles nous émerveillaient comme si elles ne venaient pas de nous.

C'est au moment de nous séparer qu'il m'annonça avec un air profondément sérieux :

— Puisque, de toute façon, nous sommes

appelés à devenir des copains, ne vaudrait-il pas mieux nous tutoyer ?

— Certainement, lui dis-je d'un ton railleur ; ce sera tellement plus commode les fois où nous ne serons pas d'accord !

A la vérité, j'étais plutôt ému, moi qui me complais à déclarer avec un faux orgueil : « Je ne suis pas celui qu'on tutoie, ni qu'on appelle par son prénom, ni que l'on tient par l'épaule, ni à qui l'on offre des cadeaux. »

Je lui sus gré de me proposer ce tutoiement juste au moment où j'aurais pu éprouver l'envie d'en user avec lui.

Je rentrai chez moi à pied, afin de respirer l'air du matin ; un matin pourtant maussade comme un enfant réveillé en sursaut.

J'avais un peu mal à la tête.

Deux jours après je reçus une lettre de lui ; un peu littéraire, mais assez brève. Il évoquait « le vin qu'ensemble nous avions bu dans la nuit traversée de bistrot en bistrot », les vers du poète noir que je lui avais cités. Il me faisait remarquer qu'à aucun moment je n'avais fait la moindre allusion à mon pays. « Que de sujets de conversation pour nos prochaines rencontres ! »

Je n'y répondis point, malgré le cordial souvenir que je gardais de notre rencontre et de notre dérive nocturne.

Je ne pouvais pas écrire. Je ne faisais que récapituler avec confusion toutes les lettres auxquelles j'aurais dû répondre déjà, et beaucoup d'autres restaient cachetées sur mon bureau, sur ma table de chevet, dans mes poches. Une fois que j'en avais deviné l'expéditeur, j'étais saisi de l'appréhension qu'elles n'apportassent pas ce dont j'avais réellement besoin pour le moment, et que je n'aurais pas su définir moi-même. Je vivais comme une boussole morte, m'épuisant à assurer mon travail, faire mes courses, saluer les gens, avec l'unique souci de ne rien trahir de mon inappétence. Alors je décidai que je ne lui écrirais pas, mais que je lui téléphonerais, ou irais le voir un jour par surprise.

Un été, en Norvège, je lui envoyai une carte postale de Stavanger. Je crois aussi avoir échangé des vœux avec lui à l'occasion d'un certain Jour de l'An.

N'empêche qu'il était le seul qu'épargnait maintenant l'espèce de désespoir avec lequel je renonçais à tout ce qui m'avait lié à cette ville que j'allais quitter.

J'allais partir, et j'étais étonné de la férocité de ma détermination, alors que je n'avais jamais envisagé l'éventualité d'un départ autrement que comme une faillite, un suicide, sinon un sabordage de moi-même.

La seule épreuve qui m'avait fait réellement souffrir avait été mon déménagement. Si l'on pouvait emporter sa maison, du moins le cadre dans lequel on a vécu, sans rien déranger, rien emballer ! Car je restais attaché à mon petit appartement de deux pièces qu'après des années passées dans des hôtels j'avais trouvé au hasard d'une rencontre à une table de restaurant avec une Bulgare qui allait rejoindre son mari à Montevideo.

La conversation s'était engagée sur une erreur qu'avait commise le serveur en intervertissant nos biftecks (j'avais commandé le mien plutôt cuit et elle voulait le sien saignant), mais c'est la poésie qui fit l'objet de nos discussions pendant tout le repas. Puis nous parlions, je crois, de la reconstruction, de la crise du logement, et je dus lui citer au moins un de mes déboires avec les hôteliers, quand elle me dit :

— Eh bien, puisque vous partagez si bien mon admiration pour Lautréamont...

Je ne voulais pas en croire mes oreilles : l'appartement et une édition originale des œuvres de Lautréamont !

— Je vous adjure de ne jamais vous en défaire, avait-elle ajouté. C'est la seule chose à laquelle nous nous sommes accrochés, mon mari et moi, à travers toutes nos vicissitudes.

Elle me demandait seulement le prix d'un billet de chemin de fer pour le Havre.

Cet appartement avait d'abord été pour moi comme un caniche qu'on m'avait confié et pour lequel je multipliais mes soins, afin qu'il ne souffrît de rien, et pour que surtout il me fût très attaché.

De cette femme je n'avais eu aucune nouvelle.

Je suis un assembleur d'objets, bien que je n'aie jamais eu de goût pour collectionner quoi que ce soit, et j'étais devenu amoureux de cet appartement au fur et à mesure que je le peuplais de bibelots, de bouquins, comme on couvre une femme de bijoux. Je prenais plaisir à y respirer, je prenais plaisir à le parcourir longuement dans tous ses détails, avec la sensation de me livrer à une sorte de narcissisme par transposition.

En vérité, j'aurais mieux aimé partir et ne rien déranger, si j'avais pu ; mais j'avais eu beau épargner l'édition rare de Lautréamont, je n'en étais pas moins accablé d'un sentiment de trahison.

Cependant, il me semble que maintenant rien ne pouvait me faire renoncer à partir.

Mes amarres étaient coupées.

J'avais décidé que je ne dirais adieu à personne.

Je voulais surtout éviter de rencontrer des camarades, d'avoir à justifier mon départ.

Je me sentais une répulsion toute prête pour tout conseil, tout apitoiement, tout attendrissement.

Pourtant lui, il était peut-être le seul dont j'attendais l'émerveillement de mon angoisse.

C'était la fin de l'été.

Il était cinq heures de l'après-midi.

Les habitués commençaient à arriver, et le café se ranimait avec une fébrilité qui cependant me laissait indifférent. J'étais en avance de beaucoup et je m'appliquais à calmer ma nervosité.

Mais à regarder seulement les gens, je me donnais raison de fuir cette ville. Tout me semblait hostile ou irritant.

Toutes les blessures dont j'avais la sensation d'être couvert, tel un chien qui s'était battu avec les loups, me faisaient mal.

Je ne quittais plus des yeux la porte-tambour dont les pales vitrées semblaient, en virevoltant, happer des passants sur le trottoir et les pousser dans le café comme des feuilles mortes.

Ce n'était pas encore l'heure, et pourtant je sentais l'anxiété me gagner à l'idée qu'il pourrait bien ne pas venir.

Mais il arriva à l'heure exacte, et je fus étonné de la promptitude avec laquelle je le reconnus.

Je ne pus m'empêcher de m'écrier :

— J'avais craint que tu ne puisses venir !

— J'ai failli en effet ne pas pouvoir, dit-il ; mais de toute façon, je t'aurais prévenu ; j'aurais téléphoné. Alors, ça va ?

— Merci d'être venu. Tu me fais un tel plaisir !

— C'est toi qui as été gentil de me faire signe. Depuis qu'on ne s'était pas vus !... Malheureusement, je ne serai pas longtemps avec toi : on m'attend d'ici trois quarts d'heure à « La Colombe ». Tu te souviens ? Ce petit coin près de Notre-Dame. Un type que je ne connais même pas. Mais ça peut être intéressant pour mon travail.

Brusquement j'avais cessé de l'entendre : je redoutais de ne pouvoir articuler un mot. Puis sa voix me revint peu à peu, comme celle d'un poste de radio qui aurait été brouillé.

— Mais, poursuivait-il, comme dit le proverbe, « C'est le premier pas qui compte », et la semaine prochaine...

— Merci d'être venu, balbutiai-je bêtement. Qu'est-ce que tu veux boire ?

— Oh, tu sais, ces jours-ci, mon foie... Juste un peu d'eau minérale, tiens !

Nous affections de prendre plaisir au jeu d'entrée et de sortie des clients, à l'évolution des serveurs.

— Tu as vu les Ballets Peau-Rouge ? me demandait-il tout à coup. D'après la presse...

Ou bien, c'était mon tour de questionner :

— Et Christiane Céleska, tu l'as revue depuis ce cocktail ?

Nous nous taisions, le regard exilé au fond de la salle sur deux gros bonshommes attablés à leur partie d'échecs — quotidienne, sans doute — ou bien sur une femme grisonnante, avec un pesant collier de billes d'ivoire retombant sur sa robe verte, et dont on ne savait penser si elle était lasse ou rêveuse, si elle attendait quelqu'un ou se délectait de composer le tableau qu'elle offrait, ainsi adossée à la molesquine marron de la banquette, devant sa tasse de café, avec sa bouche en forme d'étoile polaire.

Puis nous recommencions :

— Il paraît que, cet après-midi, le gouvernement...

⁂

Je restai encore un long moment après qu'il fut parti.

J'avais la gorge sèche.

Je commandai un alcool.

Qu'allais-je faire pour tuer le temps ?

J'avais envie de sortir, d'aborder n'importe qui en disant :

— Je quitte Paris ce soir. Pour toujours peut-être. Venez boire un verre avec moi ! Pour l'amour de Paris !

Si seulement je pouvais éclater en sanglots !

Or, les rares fois que j'ai pleuré n'ont été que de joie.

J'eus la sensation que même dehors il faisait lourd.

Ma gorge était toujours aussi sèche.

— Garçon !

Je demandai encore un alcool.

Un homme, affublé d'une casquette, circulait entre les tables, offrant les journaux du soir :

« Crise ministérielle... Le Grande Prix de la Chanson à Deauville à été décerné... »

J'aurais souhaité qu'il se mît à pleuvoir furieusement.

Comme si j'avais besoin que la pluie me lavât de tout : de mon angoisse aussi bien que de mon passé.

La pluie, peut-être, me pousserait sans secousse vers mon véritable destin.

C'est de tout un orage que j'avais soif.

Fontainebleau, Générargues,
Dakar, 1955-1963.

TABLE DES MATIÈRES

Achevé d'imprimer en juin 2001 sur les presses numériques de Bookpole
BP 12 - ZI Route d'Étampes - 45330 Malesherbes
http://www.bookpole.com
Dépôt légal : juin 1984 - N° d'imprimeur : E01/006001
N° d'éditeur : 436